No hay partes malas

No hay partes malas

Sanar el trauma y recobrar la plenitud
con el modelo

SISTEMAS DE FAMILIA INTERNA

Richard C. Schwartz, PHD

Prólogo de
Alanis Morissette

Traducción del inglés por Marta Milian Ariño

LIBRERÍAS:
THEMA: MKMT: Psicoterapia
IBIC: JMS El yo, el ego, la identidad y la personalidad
BISAC: PSY045000   PSYCHOLOGY / Movements / General

Título original: *No Bad Parts*
Copyright © *2021 Richard C. Schwartz*
Prólogo © *2021 Alanis Morissette*
Esta traducción se ha publicado con la licencia exclusiva de **Sounds True, Inc.**
Imagen de cubierta: *istock.com/Tanya Syrytsyna*

Copyright de la presente edición en español:
© **2021 EDITORIAL ELEFTHERIA, S.L.**
*Todos los derechos reservados. Cualquier forma de reproducción, distribución,
comunicación pública o transformación de esta obra solo puede ser realizada con la autorización
de sus titulares, salvo excepción prevista por la ley. Diríjase a CEDRO
(Centro Español de Derechos Reprográficos www.cedro.org) si necesita fotocopiar
o escanear algún fragmento de esta obra.*

EDITORIAL ELEFTHERIA, S. L.
Sitges, Barcelona, España
www.editorialeleftheria.com
Primera edición: Diciembre de 2021
Diseño de cubierta: Mauricio Restrepo
Maquetación: M. I. Maquetación, S. L.
ISBN: 978-84-124752-0-3
DL: B 19870-2021

Elogios dedicados a *No hay partes malas*

«Un regalo colosal: transformador, compasivo y sabio. Estas enseñanzas sencillas y magníficas te abrirán la mente y te liberarán el espíritu y el corazón».

JACK KORNFIELD, PHD
autor de *A Path with Heart*

«La terapia de sistemas de familia interna (IFS), y el conocimiento de que todos albergamos partes valiosas, que se ven obligadas a adoptar roles extremos para lidiar con el dolor y la decepción, ha sido uno de los grandes progresos en la terapia del trauma. Comprender el papel que han desempeñado en nuestra supervivencia y ser capaces de soltar los traumas originales lleva a la autocompasión y a la armonía interior. Saber que todas nuestras partes son bienvenidas es absolutamente revolucionario y abre una vía a la autoaceptación y el liderazgo del *Self*. La IFS es una de las piedras angulares de una terapia del trauma eficaz y duradera».

BESSEL VAN DER KOLK, MD
autor de *El cuerpo lleva la cuenta*

«En esta obra minuciosa y de lectura muy agradable, el doctor Richard Schwartz articula e ilustra hábilmente su modelo de sistemas de familia interna, una de las terapias más innovadoras, intuitivas, exhaustivas y transformadoras que han surgido este siglo».

GABOR MATÉ, MD
autor de *In the Realm of Hungry Ghosts: Close Encounters with Addiction*

«Con nuestra cultura maravillada con la importancia de la autoestima, la paz mundial, el despertar espiritual y la sanación, pocos parecen proponer el "cómo". ¿Cómo amar partes de nosotros que nos hacen daño a nosotros o a los demás? ¿Cómo resolver nuestros conflictos internos para poder intervenir en la curación de un mundo dividido? ¿Cómo despertar a la divinidad de nuestro interior sin eludir nuestra humanidad? ¿Cómo sanar el trauma... y las enfermedades crónicas físicas y mentales que puede provocar? Sin el cómo, acabamos sintiéndonos impotentes para vivir en consonancia con los valores esenciales y el deseo de una salud excelente por los que casi todos abogamos. Pues se acabó la espera. Este libro aporta los "cómos" que todos estábamos aguardando, soluciones sensatas que nos ayudan a abrir el corazón incluso a nuestras "partes" más destructivas, para que nuestro yo divino pueda brindarles compasión, al tiempo que guía la senda hacia la plenitud. Sistemas de familia interna es totalmente revolucionario. No exagero si digo que puede que este sea el libro más transformador que leerás en la vida».

LISSA RANKIN, MD
autora de *Mind Over Medicine*,
superventas de *The New York Times*

«Desde Freud, la terapia se refiere a la psique y trabaja con ella como si constara de partes. Sin embargo, Richard Schwartz ha elevado el concepto a una forma de arte magistral. Su afirmación de que todas las partes, por desorientadas que estén, cumplen un propósito y deben abordarse con compasión y no con antagonismo es casi revolucionaria. *No hay partes malas* es, en mi opinión, su declaración de principios más clara, exhaustiva e inspiradora. Quien quiera que esté interesado en la IFS —de hecho, quien quiera una vida más feliz y con menos conflictos— debería devorar esta obra transformadora y pionera».

TERRY REAL
autor de *The New Rules of Marriage*

«El modelo de sistemas de familia interna aporta un paradigma muy eficaz, esperanzador e inspirador para comprender y sanar heridas que está revolucionando la psicoterapia. En este libro bien escrito, Richard Schwartz ofrece las bases de la IFS, una serie de ejercicios para ayudarnos a relacionarnos de un modo abierto y compasivo con todas —hasta las más temidas y extremas— nuestras partes internas, y las fascinantes implicaciones espirituales de la IFS. ¡Este enfoque cambiará por completo tu modo de relacionarte contigo mismo y con los demás!».

DIANE POOLE HELLER, PHD
autora de *The Power of Attachment*

«¿Quieres ser más sabio, más compasivo, estar más en paz contigo mismo y más profundamente conectado con los demás? Este libro te enseñará cómo. Basándose en décadas de experiencia clínica y práctica contemplativa, el doctor Schwartz brinda una perspectiva eficaz, práctica y paso a paso para sanar las heridas del pasado y revelar nuestra capacidad innata para el amor, la claridad, la amabilidad y la sensatez. Es de lectura obligada para todo aquel que quiera gozar de una vida más intensa, más libre, más feliz y conectada».

RONALD D. SIEGEL, PSYD
Profesor adjunto de Psicología a tiempo parcial,
Harvard Medical School, y autor de
The Mindfulness Solution: Everyday Practices for
Everyday Problems

No hay partes malas

Si una fábrica se viene abajo, pero la lógica que la generó sigue en pie, esa lógica generará sin más otra fábrica.

Si una revolución destruye un gobierno, pero los modelos de pensamiento que crearon el gobierno permanecen intactos, esos modelos se repetirán.[1]

ROBERT PIRSIG

Antes creía que los principales problemas del medioambiente eran la pérdida de la biodiversidad, el derrumbamiento de los ecosistemas y el cambio climático. Pensaba que treinta años de buena ciencia podían ocuparse de esos problemas. Me equivocaba. Los principales problemas del medioambiente son el egoísmo, la avaricia y la apatía, y para atajarlos necesitamos una transformación cultural y espiritual. Y nosotros los científicos no sabemos cómo hacerlo.[2]

GUS SPETH

Entonces fue como si de pronto viera la belleza secreta de sus corazones, la profundidad de sus corazones, donde ni el pecado ni el autoconocimiento pueden llegar, la esencia de su realidad, la persona que cada cual es a ojos de Dios. Ojalá pudieran verse a sí mismos tal como realmente son. Ojalá pudiéramos vernos siempre de ese modo unos a otros.

Ya no habría guerra, ni odio, ni crueldad, ni avaricia [...], me imagino que el gran problema sería que nos postraríamos a adorarnos mutuamente.[3]

THOMAS MERTON

---

1. Pirsig, Robert (1974). *Zen and the Art of Motorcycle Maintenance.* Morrow.

2. Speth, Gus, citado en "We scientists don't know how to do that ... what a commentary!". WineWaterWatch.org, 5 de mayo, 2016. winewaterwatch. org/2016/05/we-scientists-dont-know-how-to-do-that- what-a-commentary/.

3. Merton, Thomas (2009). *Conjectures of a Guilty Bystander.* Image Books.

Índice

SEGUNDA PARTE: Liderazgo del *Self*

TERCERA PARTE: Self en el cuerpo, Self en el mundo

Prólogo

Recuerdo el momento en el que me presentaron oficialmente el trabajo de Dick Schwartz con los sistemas de familia interna (IFS). Yo había volado hasta Asheville, Carolina del Norte, en medio de una segunda recidiva de depresión posparto para atajar los muchos puntales de mi exceso de trabajo, exceso de generosidad y sobrecarga crónica. Este modo de vivir cada vez se normaliza y se elogia más, aunque siga causando estragos en nuestra vida física, emocional y relacional. Pasé ahí varios días con Bryan Robinson, una voz fundamental en lo que a recuperarse de la adicción al trabajo se refiere. Yo estaba seriamente comprometida con observar los elementos de mi mundo interno que me mantenían paralizada y a la vez frenética en la rutina cada vez más acelerada de la vida. Recuerdo claramente que, en un momento determinado en medio de una profunda reflexión, me quedé mirando a Bryan y le pregunté: «¿Qué es esto, Bryan?». «Esto son sistemas de familia interna», respondió. Me hizo sonreír lo elegante, amabilísimo y exhaustivo que era ese trabajo. Y lo mucho más fácilmente que podía hallar mi foco de conciencia al dialogar con muchas diferentes partes del interior, algunas de las cuales llevaban muchísimo tiempo ansiando atención. Al desempeñar trabajo de IFS era cuando encontraba un ancla, un punto de neutralidad acogedor y observación curiosa, una autocompasión que me había sido prácticamente imposible ofrecer a mi propia psique.

He sido una «chica de partes» desde donde me alcanza la memoria. Siempre he estado obsesionada con nuestra condición humana compleja, frágil, multitudinaria y fascinante. Cuando empecé a trabajar con la IFS, me movía la idea de recobrar nuestro derecho inalienable de integridad, prestando atención y cuidados a cada «parte» de mí cuando se presentaba de forma adorable, horrorosa, incesante y a veces dolorosa. Me alentaba el que mi parte indignada y mi parte maternal y mi parte artística y mi parte económicamente responsable (¡o irresponsable!) y mi parte de espíritu libre pudiesen de algún modo aportarme sabiduría si les ofrecía mi corazón y mi curiosidad. Todas las partes —por aterrador, esclarecedor o misterioso que parezca— podían ofrecer conocimientos, consuelo y revelaciones. Llegué a considerar a esas partes internas mensajeras. Dialogar con ellas podía aportar orientación y perspectiva útiles. Así, el sistema completo de mis muchos «yos» podía integrarse en mi personalidad y en mi vida cotidianas. Estas partes podían incluso conversar *con* ellas y *entre* sí, con la intermediación de mi *Self* superior. De ahí surgirían claridad, ideas o respuestas a complicadas cuestiones aparentemente insolubles sobre mi vida. Esas respuestas llegarían vertiginosamente al comunicarme por medio de las palabras, la escritura, el movimiento y el arte con las múltiples partes internas, incluso —y especialmente— las partes que más me asustaban.

En mi mundo interior, encontraba mi propia rabia asesina, mi vergüenza, mi pánico, mi desaliento, mis pesares y anhelos, mis humillaciones y mi pena. Además de esas partes «oscuras» o «malas» que parecían querer condenarme a patrones reiterados y hábitos dolorosos, también había partes «claras» o «buenas», que precisaban igualmente mi valor de abrirme a las partes visionarias; las partes generosas; las partes inteligentes; las partes del liderazgo; las partes virtuosas, sensibles, empáticas. Con algunas partes parecía costar menos dialogar que con otras. Las había cuya acogida se me antojaba más arriesgada y directamente aterradora. Cuanto más me adentraba en el trabajo con IFS de Dick, más emancipadoramente válidas resultaban. Que cada parte, independientemente de lo angustiosa que fuera su actuación, por oculta, confusa o dolorosa que fuera, lo hacía con la mejor intención y albergaba mensajes útiles para mí. Sin excepción, cada parte, ya se tratara de un exiliado, un directivo o un protector, tenía revelaciones enormemente bondadosas y sabias que hacerme, procedentes de mi Self, sólo con que me tomara el tiempo de estar con ellas.

Mientras iba familiarizándome más y más con la IFS, emergió un intenso sentido de la espiritualidad. Era la recompensa conmovedora por dejar que esa curiosidad abriera muy lentamente mi corazón embrollado. Vi que este Self que conversa con las partes egoicas es mi/el alma. Permanecer en esta consciencia me permitió tener una sensación directa, experimentada físicamente, de dios/amor/ espíritu/compasión. Me di cuenta de que el verdadero diálogo empezaba cuando encontraba esta «sede» del Self. Lo reconocería cuando empezara a sentir la falta de planes ocultos de las «ocho C» de la IFS: creatividad, coraje, curiosidad, una sensación de conexión, compasión, claridad, calma, convicción. Lo que llevaba toda la vida abrumándome —viajar a mi interior para responsabilizarme o inquirir sobre mis impulsos, compulsiones, detonantes y reacciones— poco a poco se volvió emocionante. Dick Schwartz trasladó todo mi trabajo junguiano y de observación a un nivel de sanación completamente distinto.

Agradezco mucho que Dick haya seguido dando a conocer la IFS por el mundo. Verle poner en práctica la IFS con las personas transmite ternura y una profunda conexión. Creo que en la actualidad necesitamos la IFS más que nunca. El trabajo de Dick nos ofrece a todos nada menos que el cultivo de la bondad, la sabiduría y el empoderamiento si estamos dispuestos a volver la mirada hacia el interior. Al llevar a cabo esta tarea, hasta la última de nuestras partes goza por un momento de la luz del sol. Al prestar atención a las partes que más la necesitan, se produce la verdadera sanación. Cuando la compasión por uno mismo crece en el interior, afecta al mundo en general, de forma lenta pero segura, y potencia nuestros esfuerzos por crecer y avanzar hacia un mundo con menos divisiones, conflictos y sufrimiento innecesario. Nos damos cuenta de que nuestra delicada y extraordinaria humanidad la compartimos todos.

Alanis Morissette
San Francisco, California
Marzo de 2021

Introducción

Siendo psicoterapeuta, he trabajado con muchas personas que acudían a mí poco después de que se les derrumbara la vida. Todo marchaba estupendamente hasta el repentino ataque al corazón, divorcio o muerte de un hijo. De no ser por ese hecho que había sacudido su existencia, nunca se les hubiese pasado por la cabeza ver a un psicólogo, puesto que se sentían triunfadores.

Después del hecho, no son capaces de hallar el mismo impulso o determinación. Sus antiguos objetivos de tener grandes casas o reconocimientos han perdido todo sentido. Se sienten a la deriva y vulnerables de un modo que desconocen y los asusta. También se abren por primera vez. Puede penetrar algo de luz por las grietas de sus cimientos protectores.

Esos acontecimientos pueden suponer una llamada de atención si puedo ayudar a los clientes a impedir que las partes esforzadas, materialistas y competitivas que hasta entonces dominaban su vida recobren el dominio, para que puedan explorar qué más hay en su interior. Con ello, puedo ayudarlos a acceder a lo que yo llamo *el Self* —una esencia de calma, claridad, compasión y conexión—, y a partir de ahí empezar a escuchar a sus partes que se han visto exiliadas por otras más dominantes. Al descubrir que les encantan los simples placeres de disfrutar de la naturaleza, leer, practicar actividades creativas, bromear con los amigos, gozar de mayor intimidad con sus parejas o hijos y ser de utilidad a los demás, deciden cambiar su vida para que en ella quepa su Self o las partes que acaban de descubrir.

Esos clientes y el resto de nosotros no acabamos dominados por esas partes esforzadas, materialistas y competitivas por casualidad. Se trata de las mismas partes que dominan la mayoría de los países del planeta y en especial el mío, los Estados Unidos. Cuando mis clientes están en las garras de esas partes en concreto, poco les importa el daño que causan a su salud y a sus relaciones. De igual modo, los países obsesionados con el crecimiento ilimitado se detienen poco a pensar en sus efectos en la mayoría de su ciudadanía, o en la salud del clima y de la Tierra.

Este afán carente de sentido —ya se trate de personas o de países— suele desembocar en alguna clase de crisis. Mientras escribo esto, estamos en plena pandemia de COVID-19. Tiene el potencial para ser la llamada de advertencia que nos hace falta para no sufrir cosas peores. Sin embargo, está por ver si nuestros dirigentes dedicarán esta pausa dolorosa a escuchar el sufrimiento de la mayoría de nuestra gente y aprenderán también a colaborar, en vez de competir con otras naciones. ¿Somos capaces de cambiar nacional e internacionalmente como a menudo pueden hacerlo mis clientes?

BONDAD INHERENTE

No podemos hacer los cambios necesarios sin un nuevo modelo de la mente. El ecologista Daniel Christian Wahl afirma que «la humanidad está envejeciendo y necesita un "nuevo relato" lo suficientemente poderoso y significativo para movilizar la colaboración global y guiar una respuesta colectiva a las crisis concurrentes a las que nos enfrentamos [...]. En el sistema planetario fundamentalmente interconectado e interdependiente del que somos partícipes, el mejor modo de cuidar de uno mismo y de los seres más queridos es que empiece a importarnos más el bien colectivo (de todos los seres vivientes). Metafóricamente hablando, todos estamos en el mismo barco, nuestro sistema de sustentación de la vida planetaria o, en palabras de Buckminster, "la Nave Tierra". La idea del "ellos contra nosotros" que tanto tiempo lleva definiendo la política entre naciones, empresas y personas es profundamente anacrónica».[1]

Jimmy Carter se hace eco de ese sentimiento: «Lo que hace falta ahora, más que nunca, es un liderazgo que nos aleje del temor y fomente una mayor confianza en la bondad e ingenio intrínsecos de la humanidad».[2] Ahora bien, nuestros dirigentes no pueden hacerlo con el modo de entender hoy la mente, porque pone de relieve lo oscuro de la humanidad.

Necesitamos un nuevo paradigma que muestre convincentemente que la humanidad es intrínsecamente buena y está verdaderamente interconectada. Sobre esa base, por fin podemos pasar de ser ego-, familia- y etnocéntricos a especie-, bio- y planetacéntricos.

Semejante cambio no será fácil. Tenemos demasiadas instituciones básicas que están basadas en la visión oscura. Tomemos como ejemplo el neoliberalismo, la filosofía económica de Milton Friedman que sostiene el tipo de capitalismo implacable que lleva dominando muchos países, incluyendo los EE. UU., desde los tiempos de Ronald Reagan y Margaret Thatcher. El neoliberalismo parte de la convicción de que las personas son básicamente egoístas y, por consiguiente, cada cual va a lo suyo en un mundo donde reina la ley del más fuerte. El gobierno debe hacerse a un lado para que los más fuertes puedan no sólo ayudarnos a sobrevivir, sino a prosperar. Esta filosofía económica ha generado una desigualdad enorme, así como la desconexión y polarización entre las personas que experimentamos tan drásticamente en la actualidad. Ha llegado el

---

1. Wahl, Daniel Christian (2018). [We Are] a Young Species Growing Up. *Medium*, enero de 13, medium.com/age-of-awareness/we-are-a-young-species-growing-up-3072588c5a82.

2. Carter, Jimmy (2016). "A Time for Peace: Rejecting Violence to Secure Human Rights", 18-21 de junio, [transcripción publicada el 21 de junio de 2016], discurso en el Carter Center's Annual Human Rights Defenders Forum, cartercenter.org/news/editorials_speeches/a-time-for-peace-06212016.html.

momento de una nueva visión de la naturaleza humana que dé rienda suelta a la colaboración y la empatía que habitan nuestros corazones.

LA PROMESA DE LA IFS

Ya sé que suena ostentoso, pero este libro presenta la clase de paradigma y conjunto de prácticas inspiradores que pueden alcanzar los cambios que precisamos. Está repleto de ejercicios que confirmarán las afirmaciones radicalmente positivas que hago sobre la naturaleza de la mente, para que puedas experimentarlas por ti mismo (y no limitarte a creer en mi palabra).

Llevo desarrollando IFS (sistemas de familia interna) casi cuatro décadas. Me ha llevado a un viaje largo, fascinante y —como se subraya en este libro— espiritual que quiero compartir contigo. Este viaje ha transformado mis creencias sobre mí mismo, sobre lo que es la gente, sobre la esencia de la bondad humana y sobre cuánta transformación es posible. La IFS ha mutado con el tiempo, y ha pasado de consistir exclusivamente en psicoterapia a transformarse en un tipo de práctica espiritual, aunque no es necesario calificarse de espiritual para practicarla. En su esencia, la IFS es un modo afectuoso de relacionarse internamente (con nuestras partes) y externamente (con las personas que hay en nuestra vida), por lo que, en ese sentido, la IFS es también una práctica vital. Es algo que podemos hacer a diario, cotidianamente, solos o acompañados.

En este momento, puede que una parte tuya sea escéptica. A fin de cuentas, son muchas promesas para los primeros párrafos de un libro. Sólo pido que tu escéptico te deje suficiente espacio dentro para probar estas ideas en cierta medida, incluyendo algunos de los ejercicios, para que lo compruebes por ti mismo. La experiencia me ha enseñado que cuesta creer en las promesas de la IFS hasta que de verdad se intenta.

PRIMERA PARTE

Sistemas de familia interna

CAPÍTULO UNO

Todos somos múltiples

A todos nos criaron según lo que llamaré el sistema de creencias monomental: la idea de que tenemos una mente de la que emanan distintos pensamientos y emociones, impulsos y deseos. Yo también creía en ese paradigma, hasta que me encontré una y otra vez con clientes que me enseñaron lo contrario. Como la visión monomental está tan extendida y asumida en nuestra cultura, nunca nos planteamos en serio si es verdadera. Quiero ayudarte a echar un vistazo —un segundo vistazo— a quién eres en realidad. Voy a invitarte a probar este paradigma distinto de multiplicidad que abraza la IFS y a plantearte la posibilidad de que tú y todos los demás tengáis personalidades múltiples. Y eso es bueno.

No insinúo que tengas trastorno de personalidad múltiple (ahora llamado trastorno de identidad disociativo), pero sí creo que las personas así diagnosticadas no son tan distintas del resto. Lo que denominamos *alters* en esas personas son lo mismo que yo denomino *partes* en la IFS, y existen en todos nosotros. La única diferencia es que las personas con trastorno de identidad disociativo sufrieron terribles maltratos y su sistema de partes saltó por los aires más que el de la mayoría, así que cada parte destaca con mayor precisión y está más polarizada y desconectada del resto.

Dicho de otro modo, todos nacemos con muchas submentes que interactúan constantemente en nuestro interior. En general, es lo que llamamos *pensar*, porque las partes hablan entre ellas y con nosotros sobre cosas que debemos hacer, debaten el mejor modo de proceder, etcétera. Si recuerdas alguna época en que te enfrentaras a un dilema, es probable que oyeras a una parte decir «¡Adelante!» y a otra «¡Ni se te ocurra!». Como nos limitamos a creer que consiste en tener pensamientos encontrados, no nos fijamos en los actores internos que hay tras el debate. La IFS nos ayuda no sólo a empezar a fijarnos en ellos, sino también a convertirnos en el líder interno activo que nuestro sistema de partes precisa.

Aunque al principio estremezca o parezca una locura pensar que tenemos personalidad múltiple, confío en convencerte de que, en realidad, es algo bastante empoderador. Sólo nos inquieta porque la multiplicidad se ha patologizado en nuestra cultura. A quien tiene personalidades autónomas independientes se lo considera enfermo o herido, y la existencia de sus *alters* se considera simplemente producto del trauma, la fragmentación de su mente antes unitaria. Desde el punto de vista monomental, nuestro estado natural es tener una mente unitaria. A no ser, naturalmente, que sobrevenga un trauma y la despedace, como un jarrón hecho añicos.

El paradigma monomental nos ha llevado a temer a nuestras partes y considerarlas patológicas. En nuestros intentos de controlar lo que creemos pensamientos y emociones perturbadores, al final acabamos por combatir, ignorar, disciplinar, ocultar o avergonzarnos de esos impulsos que nos impiden hacer lo que queremos hacer en nuestra vida. Y luego nos avergüenza no ser capaces de controlarlos. En otras palabras, odiamos los obstáculos.

Esta perspectiva cobra sentido si vemos estos escollos internos como simples pensamientos irracionales o emociones extremas procedentes de nuestra mente unitaria. Si te asusta dar un discurso, por ejemplo, puede que trates de recurrir a la fuerza de voluntad para superar el temor o corregirlo con pensamientos racionales. Si el miedo persiste, tal vez intensifiques tus intentos de controlarlo criticándote por ser un cobarde, insensibilizándote hasta el olvido o meditando para superarlo. Y cuando ninguna de estas estrategias funciona, terminas adaptando tu vida al temor: evitando situaciones en las que debas hablar en público, sintiéndote un fracasado y sin saber qué es lo que pasa. Por si fuera poco, acudes a un terapeuta que diagnostica que tienes una mente singular y aturdida. El diagnóstico te hace sentir defectuoso, tu autoestima cae en picado y la vergüenza que sientes te conduce a intentar esconder cualquier defecto y mostrar al mundo una imagen perfecta. O tal vez te limites a abandonar las relaciones, por miedo a que la gente vea lo que hay tras tu máscara y te juzgue por ello. Te identificas con tus puntos débiles, asumiendo que tu verdadera personalidad es defectuosa y que, si la gente viera cómo eres en realidad, te rechazaría.

> «Cuando me preguntaban si estaba listo para que cambiara mi vida, no creo que acabara de entender a qué se referían. No era sólo que los desconocidos fuesen a saber quién era yo. Era *otra* cosa que empezó a pasarme: cuando los miraba a los ojos, a veces, había una vocecita en mi cabeza planteándose: "¿Te haría la misma ilusión conocerme si supieras de verdad quién soy? ¿Si supieras todo lo que he hecho? ¿Si pudieses ver todas mis partes?"».
>
> Jonathan van Ness, Estrella de *Queer Eye*[1]

UN POCO DE HISTORIA

La perspectiva monomental, junto con teorías científicas y religiosas sobre lo primitivos que son los impulsos humanos, dio lugar a este trasfondo de polarizaciones internas. Un ejemplo elocuente lo en-

---

1. Van Ness, Jonathan (2019). *Over the Top: A Raw Journey to Self-Love.* HarperOne, 566.

contramos en el influyente teólogo cristiano Juan Calvino: «Como nuestra naturaleza no está sólo completamente desprovista de bondad, sino que también es tan prolífica en todo tipo de maldad, jamás puede estar tranquila [...]. El hombre en su totalidad, desde la coronilla hasta la planta del pie, está tan atiborrado, por así decirlo, que no queda ninguna parte exenta de pecado y, por lo tanto, todo lo que procede de él se imputa como pecado».[2] Esto se conoce como la teoría de la *depravación total*, que insiste en que sólo por la gracia de Dios podemos evitar nuestro destino de condena eterna. El protestantismo y el evangelismo dominantes han transmitido alguna versión de esta doctrina durante varios cientos de años, y su impacto cultural se ha generalizado. Con el «pecado original», el catolicismo tiene su propia versión.

Ahora bien, no podemos achacar este modo de pensar exclusivamente a la religión. Generaciones de filósofos y políticos han afirmado que los impulsos primarios acechan justo debajo del barniz civilizado que mostramos al mundo. Mientras que Freud hizo aportaciones importantes sobre la psique, muchas de las cuales son compatibles con la IFS, su teoría de los instintos fue muy influyente y pesimista en lo que a la naturaleza humana se refiere. Sostenía que bajo la superficie de la mente hay fuerzas instintivas egoístas y agresivas en busca de placer, que inconscientemente nos organizan la vida. El historiador de los Países Bajos Rutger Bregman resume estos supuestos subyacentes diciendo: «La doctrina de que los humanos son egoístas de nacimiento tiene una tradición consagrada en el canon occidental. Cada uno de los grandes pensadores como Tucídides, Agustín de Hipona, Maquiavelo, Hobbes, Lutero, Calvino, Burke, Bentham, Nietzsche, Freud y los padres fundadores de los Estados Unidos tenía su propia versión de la teoría del barniz de la civilización».[3]

---

2. Calvin, John (2015). *The Institutes of the Christian Religion: Books First and Second.* Jazzybee Verlag.

3. Bregman, Rutger (2020). *Humankind: A Hopeful History.* Little, Brown, 17.

FUERZA DE VOLUNTAD Y VERGÜENZA

El énfasis en la fuerza de voluntad y el autocontrol impregna la cultura estadounidense. Creemos que deberíamos ser capaces de disciplinar nuestras mentes primitivas, impulsivas y pecadoras a base de fuerza de voluntad. Innumerables libros de autoayuda nos dicen que todo se reduce a potenciar nuestra capacidad de controlarnos y adquirir más disciplina. El concepto de la fuerza de voluntad también tiene raíces históricas, concretamente en la época victoriana, con su insistencia cristina en resistir los malos impulsos. La idea de responsabilizarse y no poner excusas es tan estadounidense como la tarta de manzana.

Por desgracia, políticos y expertos han utilizado nuestro culto a la fuerza de voluntad para justificar niveles crecientes de desigualdad salarial. Nos enseñan que la gente es pobre porque carece de autocontrol y que los ricos son acaudalados porque ellos sí lo tienen, a pesar de que las investigaciones digan lo contrario. Los estudios demuestran, por ejemplo, que las personas de menos ingresos se empoderan y se vuelven productivas una vez reciben suficiente dinero para cubrir sus necesidades básicas de supervivencia.[4] No obstante, la pura verdad —sobre todo teniendo en cuenta las consecuencias económicas de la pandemia actual— es que en cualquier momento la mayoría de nosotros podría quedarse sin sustento, y es por esa amenaza por lo que no se detiene el runrún de nuestras partes preparadas para lo peor.

Al haberse interiorizado esta ética de la fuerza de voluntad, aprendemos a una edad temprana a humillar y maltratar a nuestras partes rebeldes. Sencillamente, las sometemos por la fuerza. Este imperativo cultural recluta a una parte para que se convierta en nuestro sargento instructor interno, y a menudo se transforma en ese crítico interno cruel que nos encanta detestar. Es la voz que trata de humi-

---

4. Para un examen exhaustivo de este y estudios relacionados, ver Bregman, Rutger (2017). *Utopia for Realists*. Little, Brown.

llarnos o intenta directamente librarse de partes de nosotros que parecen merecedoras de humillación (las que nos aportan ideas desagradables sobre las personas, por ejemplo, o mantienen nuestras adicciones a sustancias).

A menudo nos encontramos con que cuanto más intentamos librarnos de emociones y pensamientos, más fuerza cobran. La razón es que las partes, como las personas, se defienden cuando las humillan o exilian. Y si logramos dominarlas con autodisciplina punitiva, entonces acabamos bajo la tiranía del rígido sargento instructor controlador. Seremos disciplinados, pero no muy divertidos. Y dado que las partes exiliadas (los que se dan atracones, los que montan en cólera, las hipersexuales, etc.) aprovecharán la más mínima debilidad momentánea para fugarse y tomar el control, debemos estar constantemente en guardia frente a cualesquiera personas o situaciones que puedan activar esas partes.

> **A menudo nos encontramos con que, cuanto más intentamos librarnos de emociones y pensamientos, más fuerza cobran.**

Jonathan van Ness probó y fracasó varias veces en su intento de dejar las drogas. «Con tanto programa de 12 pasos y viendo que predicaban tanto la abstinencia en rehabilitación y en la iglesia, empecé a asumir que la curación tenía que ser todo o nada, lo que no ha sido mi caso, desde luego. Yo trataba de desenmarañar abusos sexuales, toxicomanía y TEPT, y para mí no era algo que llevara a no volver a fumar hierba […]. Yo no creo que un adicto lo sea de por vida. No creo que la adicción sea una enfermedad garantía de cadena perpetua […]. Si alguna vez metes la pata o no puedes pasar dos meses seguidos sin un desliz, no estás condenado».[5]

Hay programas de 12 pasos que no se ciñen tanto a las estrictas creencias con las que Van Ness se encontró, y los grupos pueden ser un contexto estudio donde mostrarse vulnerable y recibir apoyo. Además, la admonición de los 12 pasos de ofrecerlo todo a un poder

---

5. Van Ness, *Over the Top*, 173.

superior puede con frecuencia ayudar a los instructores militares internos a relajarse o incluso a rendirse. Lo que quiero decir principalmente es que ninguna estrategia que incremente el impulso de nuestro instructor militar interno de avergonzarnos para que nos comportemos (y hacernos sentir fracasados si no podemos) obtendrá mejores resultados en las familias internas que en las externas, donde los padres adoptan tácticas humillantes para controlar a los hijos.

No creas que esta crítica de la fuerza de voluntad demuestra que en la IFS no hay lugar para la disciplina interna. Como los niños en las familias externas, todos tenemos partes que quieren cosas que no son buenas para ellas o para el resto del sistema. Aquí la diferencia es que el Self dice no a las partes impulsivas con firmeza, pero desde el amor y la paciencia, exactamente como lo haría un padre o madre ideal. Además, en la IFS, cuando las partes toman el control, no las humillamos. Lo que hacemos es sentir curiosidad y usar el impulso de la parte de punto de partida para encontrar lo que la motiva y debe sanarse.

LAS PARTES NO SON OBSTÁCULOS

El paradigma monomental puede fácilmente llevarnos a temernos u odiarnos porque creemos que sólo tenemos una mente (llena de aspectos primitivos o pecadores) que no podemos controlar. Al intentarlo, acabamos hechos una maraña y generamos críticos internos brutales que nos atacan por nuestros defectos. Como apunta Van Ness, «Dediqué mucho tiempo a apartar al pequeño Jack. En vez de nutrirle, le hice pedazos [...], aprender a criarse a uno mismo, con un amor compasivo reconfortante [...], ésa es la clave de la plenitud».[6]

Dado que la mayoría de las psicoterapias y las prácticas espirituales suscriben esta visión monomental, sus soluciones con frecuencia refuerzan este enfoque, al sugerir que debemos corregir las creencias

---

6. Van Ness, *Over the Top*, 261.

irracionales o alejarlas por medio de la meditación, puesto que esas creencias se consideran obstáculos procedentes de nuestra mente única. Muchos enfoques de la meditación, por ejemplo, consideran que los pensamientos son parásitos y el ego un incordio o molestia, y se indica a los practicantes que los ignoren o los dejen atrás.

En algunas tradiciones hindúes, se cree que el ego trabaja para la diosa Maya, cuyo objetivo es mantenernos ávidos de cosas materiales o placeres hedonistas. Se la tiene por el enemigo —una tentadora muy parecida al Satán cristiano— que nos mantiene amarrados al mundo exterior de la ilusión.

Las enseñanzas budistas utilizan el término *mente de mono* para describir como nuestros pensamientos van saltando por nuestra conciencia al igual que un simio inquieto. Como Ralph de la Rosa apunta en *The Monkey Is the Messenger*, «¿A quién le extraña que la mente de mono sea el azote de los meditadores a lo largo y ancho del globo? Quienes tratan de hallar un respiro en la práctica contemplativa a menudo hallan en los pensamientos un engorro que los saca de quicio, un provocador primitivo que se cuela por la puerta lateral [...]. En los círculos de meditación, prevalecen algunas consecuencias no deseadas de la metáfora del mono: que la mente pensante es una forma de vida sucia, primitiva, inferior, carente de verdadero valor para nosotros; no es más que un montón de basura que se repite».[7] De la Rosa es uno de los varios autores recientes que desafían la práctica habitual en el mundo de la espiritualidad consistente en denigrar al ego. Otro es el psicoterapeuta Matt Licata, que escribe:

> Es frecuente referirse «al ego» como si fuera una especie de cosa aislada que a veces nos controla —un personajillo desagradable, nada espiritual e ignorante que vive en el interior— y nos hace actuar de formas en absoluto evolucionadas, creando desastres incesantes en nuestra existencia y entrometiéndose en nuestro progreso por el

---

7. De la Rosa, Ralph (2018). *The Monkey Is the Messenger: Meditation and What Your Busy Mind Is Trying to Tell You*. Shambhala, 5.

camino. Es algo de lo que avergonzarse tremendamente y, cuanto más espirituales seamos, más nos esforzaremos por «librarnos de él», trascenderlo o embarcarnos en guerras espirituales imaginarias con él. Si nos fijamos bien, tal vez veamos que, si el ego puede identificarse con algo, es probablemente con esas mismas voces que nos gritan que nos lo quitemos de encima.[8]

El grupo de partes que estas tradiciones denominan el ego son protectores que sólo tratan de mantenernos a salvo, reaccionan ante unas partes y contienen a otras portadoras de traumas pasados que hemos encerrado a cal y canto en nuestro interior.

Más adelante entraremos con mayor profundidad en los modos en los que las personas practican el *bypass* espiritual, un término acuñado por John Welwood en los ochenta. Jeff Brown explora el fenómeno en profundidad en su película *Karmageddon*: «Después de mi infancia, necesitaba unos tipos de espiritualidad que no me permitieran que el dolor saliera a la superficie [...]. Confundía la autoevitación con la iluminación».[9] De hecho, un mensaje fundamental de la historia canónica del despertar de Buda es que los pensamientos y los deseos son los principales obstáculos para la iluminación. Cuando se sentaba a meditar bajo el árbol del Bodhi, Buda se veía asaltado por una serie de impulsos y apremios —lujuria, deseo, plenitud, remordimiento, miedo, inseguridad, etcétera— y sólo a base de ignorarlos o resistirse a ellos pudo alcanzar la iluminación.

Dicho esto, las omnipresentes prácticas de *mindfulness* derivadas del budismo son un paso en la dirección correcta. Permiten a quien las practica observar los pensamientos y emociones a distancia y desde un lugar de aceptación, en vez de combatirlos o ignorarlos. Para mí, es un buen primer paso. El mindfulness, sin embargo, no siempre es agradable. Los investigadores que han entrevistado a me-

---

8. Licata, Matt (2017). *The Path Is Everywhere: Uncovering the Jewels Hidden Within You*. Wandering Yogi Press, 72.

9. Brown, Jeff (2011). *Karmageddon*, dirigido por Jeff Brown y Paul Hemrend, Open Heart Gang Productions [documental, 2 horas].

ditadores experimentados descubrieron que considerables porcentajes de ellos tenían episodios perturbadores que a veces eran duraderos. Entre los más habituales, se encontraban emociones como el temor, la ansiedad, la paranoia, el desapego y el hecho de revivir recuerdos traumáticos.[10] Desde el punto de vista de la IFS, el acallamiento de la mente asociado al mindfulness se produce cuando las partes de nosotros que normalmente dirigen nuestra vida (nuestro ego) se relajan, lo que permite que las partes que hemos intentado enterrar (exiliados) asciendan, trayendo con ellas las emociones, creencias y recuerdos que llevan consigo (cargas), por las cuales esas partes fueron encerradas en un primer momento. La mayoría de los enfoques del mindfulness que conozco suscriben el paradigma monomental. En consecuencia, ven en esos episodios la emergencia temporal de pensamientos y emociones perturbadores, en vez de partes sufrientes que necesitan que las escuchen y las amen. ¿Por qué íbamos a querer conversar con pensamientos y emociones? Si no pueden responder, ¿no? Pues resulta que sí que pueden. De hecho, tienen un montón de cosas importantes que decirnos.

CÓMO SUPE DE LAS PARTES

De entrada, como el resto de la gente, pensaba que la mente es unitaria y me formé como terapeuta familiar durante años (de hecho, tengo un doctorado en este campo). Como terapeutas familiares, no prestábamos ni mucha ni poca atención a la mente. Creíamos que los terapeutas que andaban tonteando con ese mundo interior estaban perdiendo el tiempo, porque podíamos cambiarlo todo sólo con cambiar las relaciones externas.

---

10. Gallagher, Brian. «The Problem with Mindfulness», *Facts So Romantic* [blog], Nautilus, 30 de marzo de 2018, nautil.us/blog/the-problem-with-mindfulness; y MacLellan, Lila. «There's a dark side to meditation that no one talks about», *Recesses of Your Mind* [blog], Quartz, 29 de mayo de 2017, qz.com/993465/theres-a-dark-side-to-meditation-that-no-one-talks-about.

El único problema era que la estrategia no funcionaba. Llevé a cabo un estudio sobre los resultados con clientes bulímicos y descubrí alarmado que seguían dándose atracones y purgándose, sin darse cuenta de que los habían curado. Cuando les preguntaba por qué, empezaban a hablar sobre esas diferentes partes de su persona. Y hablaban de esas partes como si tuvieran muchísima autonomía, como si pudieran tomar las riendas y obligarlos a hacer cosas que no querían hacer. Al principio, tuve miedo de hallarme frente a una crisis de trastorno de personalidad múltiple, pero entonces empecé a escuchar mi propio interior y me quedé estupefacto al darme cuenta de que yo también tenía partes. De hecho, algunas de las mías eran bastante extremas.

Así que empezó a entrarme la curiosidad. Pedía a los clientes que describieran sus partes, lo cual sabían hacer con todo detalle. No sólo eso, sino que también representaban cómo esas partes interactuaban unas con otras y tenían relaciones. Unas se peleaban, otras formaban alianzas y las había que protegían a otras. Con el tiempo, me percaté de que estaba acercándome a una especie de sistema interno que no difería de las familias «externas» con las que trabajaba. De ahí el nombre: sistemas de familia interna.

Por ejemplo, los clientes hablaban de un crítico interno que, cuando se equivocaban, los atacaba sin compasión. Ese ataque activaba una parte que se sentía completamente abandonada, sola, vacía e inútil. Experimentar esa parte inútil era tan angustiante que los atracones acudían casi al rescate para sacar a los clientes de su cuerpo y convertirlos en una máquina de comer sin sentimientos. Entonces, el crítico los atacaba por el atracón, lo cual volvía a activar la sensación de inutilidad, y se veían atrapados en esos terribles círculos durante días enteros.

Al principio, yo trataba de que los clientes se relacionaran con esas partes de algún modo que las acallara o las hiciera parar. Por ejemplo, les sugería que ignoraran a la parte crítica o que discutieran con ella. Esta estrategia no hacía sino empeorar las cosas, pero yo no sabía qué más hacer que alentarlos a luchar con más fuerza para ganar sus batallas internas.

Tuve una clienta que tenía una parte que le hacía cortarse las muñecas. Eso sí que no podía soportarlo. En una sesión, mi clienta y yo estuvimos atosigando a la parte un par de horas hasta que aceptó dejar de cortarle las muñecas. Salí de esa sesión exhausto, pero satisfecho de que hubiésemos ganado la batalla.

Cuando, en la siguiente sesión, abrí la puerta, un gran corte atravesaba la cara de la clienta. En ese momento me derrumbé emocionalmente y dije sin pensarlo: «Tiro la toalla, no puedo ganarte en esto», y la parte también cambió y dijo: «No, si yo en realidad no pretendo ganarte». Aquello fue un momento crucial en la historia de ese trabajo, porque abandoné aquel lugar controlador y adopté una estrategia de mayor curiosidad: «¿Por qué le haces esto?». La parte procedió a contarme que había tenido que sacar a mi clienta de su cuerpo cuando la maltrataban y controlar la rabia, que no conduciría sino a más maltrato. Mi actitud volvió a cambiar y reconocí el papel heroico que desempeñaba en la vida de la clienta. La parte se echó a llorar. Todo el mundo la había demonizado y había querido librarse de ella. Era la primera vez que tenía ocasión de contar su historia.

Le dije a la parte que era del todo lógico que tuviese que hacerlo para salvar la vida de la mujer en el pasado, pero ¿por qué aún hoy tenía que hacerle cortes? Habló de la necesidad de proteger otras partes muy vulnerables de la paciente y de que tenía que controlar la rabia que seguía ahí. Al hablar de todo aquello, vi claramente que la parte lesionadora no vivía en el presente. Parecía haberse quedado paralizada en aquellas escenas de maltrato, creyendo que la clienta aún era una niña que corría gran peligro, aunque ya no fuera así.

Empecé a darme cuenta de que tal vez esas partes no son lo que parecen. Puede que, como los niños de familias disfuncionales, se vean obligadas a abandonar sus estados naturales y valiosos y a adoptar roles que a veces pueden ser destructivos, pero son —ellas lo creen así— necesarios para proteger a la persona o el sistema en el que están. Así que empecé a intentar ayudar a los clientes a escuchar a sus partes problemáticas en vez de combatirlas, y me quedé atónito al descubrir que todas sus partes tenían historias parecidas que contar sobre cómo habían tenido que asumir roles protectores en algún momento del pasado de la persona, a menudo roles que detestaban, pero que eran precisos para salvar al cliente. Al preguntar a esas partes protectoras qué preferirían hacer si tuvieran la seguridad de que no hacía falta que protegieran, muchas veces deseaban hacer algo opuesto al rol en el que estaban instaladas. Los críticos internos querían ser animadores o sabios consejeros, los cuidadores extremos deseaban ayudar a poner límites, las partes furibundas querían ayudar a la hora de discernir quién no representaba un peligro. Parecía que no sólo las partes no eran lo que parecían, sino que todas tenían cualidades y recursos que aportar a la vida del cliente, los cuales no estaban disponibles cuando estaban atrapadas en los roles protectores.

Ahora, tras varias décadas y miles de clientes (y miles de terapeutas que practican la IFS en todo el mundo), puedo decir sin temor a equivocarme que eso es verdaderamente lo que sucede con las partes. Pueden radicalizarse bastante y

La IFS ayuda a las personas a convertirse en bodhisattvas de sus psiques.

causar mucho daño en la vida de una persona, pero no hay ninguna que sea mala de por sí. Hasta las que llevan a los bulímicos a atracarse o a los anoréxicos a morir de hambre o las que llevan a la gente a querer suicidarse o matar a otros…, incluso esas partes, si se abordan desde este punto de vista de atención consciente —este punto de vista respetuoso, abierto, curioso— revelarán la historia secreta de cómo las obligaron a adoptar el rol que ocupan y hasta qué punto están atascadas en ese rol, aterradas al pensar que si no lo ejercen pasará algo espantoso. Y que están ancladas en el pasado, en los tiempos traumáticos en los que tuvieron que asumir ese rol.

Hagamos un alto en el camino para estudiar las implicaciones espirituales de este descubrimiento. Básicamente, lo que descubrí es que el amor es la respuesta en el mundo interior, al igual que lo es en el mundo exterior. Escuchar, acoger y amar a las partes les permite sanar y transformarse, al igual que sucede con las personas. En términos budistas, la IFS ayuda a las personas a convertirse en *bod-hisattvas* de sus psiques, en el sentido de ayudar a todo ser sintiente interior (parte) a iluminarse por medio de la compasión y el amor. O, desde una óptica cristiana, las personas acaban haciendo en su mundo interior lo que Jesús hizo en el exterior: acuden a los exiliados y enemigos internos con amor, los sanan y los llevan a casa, al igual que él hacía con los leprosos, los pobres y los marginados.

La conclusión más importante es que las partes no son lo que habitualmente se ha creído que eran. No son adaptaciones cognitivas ni impulsos pecaminosos. Las partes son seres sagrados y espirituales que merecen que los traten como tales. Otro tema que abordaremos en este libro es que todo tiene su paralelo: nuestro modo de relacionarnos en el mundo interior será el modo en el que nos relacionemos en el exterior. Si somos capaces de valorar y tener compasión por nuestras partes, hasta por las que hemos tenido por enemigas, podemos hacer lo mismo con las personas que se les parecen.

En cambio, si odiamos o despreciamos a nuestras partes, lo mismo haremos con cualquiera que nos las recuerde.

Algunas cosas que descubrí de las partes:

- Hasta las partes más destructivas tienen intenciones protectoras.
- Muchas veces, las partes están ancladas en traumas del pasado en los que se requerían sus roles extremos.
- Cuando confían en que abandonar sus roles no entraña riesgos, son muy valiosas para el sistema.

CARGAS

Éste es otro descubrimiento fundamental con que me tropecé: las partes llevan consigo creencias y emociones extremas en sus «cuerpos», que determinan su forma de sentirse y actuar.

La idea de que las partes tienen cuerpos que son independientes y distintos del cuerpo de la persona a la que están conectadas puede sonar extraña o absurda al principio. Permíteme en este punto hacer un inciso para decir que yo me limito a informar de lo que he aprendido al cabo de años de estudiar este territorio interno sin juzgar la realidad ontológica de los datos. Si preguntas a tus partes sobre sus propios cuerpos, te vaticino que obtendrás las mismas respuestas que incluyo en estas páginas.

Durante mucho tiempo, no sabía qué hacer con este hallazgo. En cualquier caso, así es como las partes se describen a sí mismas: tienen cuerpos y sus cuerpos contienen emociones y creencias que les sobrevinieron y no les pertenecen. A menudo pueden decirnos el momento traumático exacto en el que esas emociones y creencias se introdujeron en ellas o se les adhirieron, y pueden decirnos dónde llevan lo que a ellas les parece que son esos objetos extraños, dentro o encima de sus cuerpos. «Es este alquitrán que tengo en los brazos», o «una bola de fuego en las tripas», o «un peso enorme sobre los hombros», por ejemplo. Estos sentimientos o creencias extraños (a veces descritos como energías) son lo que yo denomino *cargas*. Resulta que las cargas son organizadores poderosos de la experiencia y la actividad de una parte, casi al igual que un virus organiza un ordenador.

En este punto, es importante señalar que estas cargas son producto de la experiencia directa de una persona: la sensación de falta de valía que sobreviene a un chiquillo cuando un padre o madre lo maltrata; el terror que se adhiere a las partes en un accidente automovilístico; la creencia de que no se puede confiar en nadie que adoptan las partes jóvenes cuando nos traicionan o abandonan de niños. Cuando somos pequeños, tenemos poco criterio sobre la validez de esas emociones y creencias, por lo que se quedan atascadas en el cuerpo de nuestras partes jóvenes y se vuelven poderosas (aunque inconscientes) organizadoras de nuestra vida posteriormente. Es lo que llamamos *cargas personales*.

Algunas de las cargas personales más pesadas se parecen a lo que el pionero de la teoría del apego John Bowlby denominaba *modelos operativos internos*.[11] Para él, se trataba de mapas que uno desarrollaba de niño con lo que esperaba de su cuidador y del mundo en general, y luego de posteriores relaciones estrechas. También nos revelan cosas sobre nuestro propio nivel de bondad y cuánto amor y apoyo merecemos.

Hay otro tipo de cargas llamadas *cargas por legado*, puesto que no proceden de nuestra experiencia vital directa. Las hemos heredado de nuestros padres, que las recibieron de los suyos y así sucesivamente. O bien las asimilamos de nuestro grupo étnico o de la cultura donde actualmente vivimos. Las cargas por legado pueden llegar a organizar con la misma fuerza —si no más— nuestras vidas, y al haberlas tenido tanto tiempo estamos empapados de ellas, así que muchas veces cuesta más notar éstas que las cargas personales que tomamos de los traumas. Así que las cargas por legado pueden ser tan importantes y pasar tan desapercibidas como el aire que respiramos.

LAS PARTES NO SON SUS CARGAS

Esta distinción entre las partes y las cargas que llevan consigo es crucial, porque muchos de los problemas del mundo tienen que ver con el error que cometen muchos paradigmas a la hora de comprender la mente: confundir la carga con la parte que la lleva consigo. Es común creer que una persona que se coloca constantemente es un

11. McLeod, Saul (2017). Bowlby's Attachment Theory. *Simply Psychology*, [actualizado en 2017], simplypsychology.org/bowlby.html.

adicto que tiene un deseo irresistible de tomar drogas. Esa creencia conduce a combatir el deseo de esa persona con antagonistas opioides, con programas de recuperación que pueden tener el efecto de polarizar la parte adictiva o con la fuerza de voluntad del adicto. Si, en cambio, creemos que la parte que busca drogas es protectora y lleva consigo la carga de responsabilidad de preservar a esa persona de dolor emocional grave o incluso el suicidio, entonces trataríamos a la persona de modo muy distinto. Lo que podríamos hacer es ayudarlos a conocer a esa parte y reconocer sus intentos de mantener a esa persona a flote y negociar el permiso para sanar o cambiar aquello que protege.

Entonces ayudaríamos a la persona a sanar regresando a la parte «adicta» ahora liberada y ayudándola a descargarse de todo su temor y responsabilidad. Descargar es otro aspecto de la IFS aparentemente espiritual, porque tan pronto como las cargas dejan los cuerpos de las partes, éstas inmediatamente vuelven a sus originales y valiosos estados. Es como deshacer un hechizo de una Bella Durmiente, o un ogro, o un adicto interior. La nueva parte recién descargada casi siempre dice que se siente mucho más ligera y quiere jugar o descansar, tras lo cual halla un nuevo rol. La antigua parte adicta quiere ahora ayudarnos a conectar con las personas. La parte hipervigilante se convierte en un consejero sobre límites. La crítica pasa a ser animadora, etcétera. Dicho de otro modo, es como si cada parte fuese una persona con un verdadero propósito.

Es como si cada parte fuese una persona con un verdadero propósito.

NO HAY PARTES MALAS

Por si el título del libro no te ha planteado ya esta pregunta, te la haré ahora directamente: ¿qué hacemos con las partes que han cometido terribles actos de violencia? ¿Qué pasa con las que han asesinado o abusado sexualmente de personas? ¿O las partes que están decididas a matar a la persona que las alberga? ¿Cómo diantres pueden esas ser buenas partes con roles malos?

Al practicar IFS con clientes, cada vez estaba más claro que las cargas que movilizaban a sus partes estaban arraigadas en traumas tempranos, así que a finales de los ochenta y principios de los noventa me especialicé en el tratamiento de quienes habían sufrido traumas complejos y presentaban diagnósticos graves, como trastorno límite de la personalidad, depresión y trastornos de la conducta alimentaria. También empezó a interesarme comprender y tratar a los maltratadores, ya que no había duda de que curar a uno de ellos podía a su vez salvar a muchas futuras víctimas.

Durante siete años colaboré con Onarga Academy, un centro terapéutico de Illinois destinado a delincuentes sexuales. Tuve ocasión de ayudar a esos clientes a escuchar a aquéllas de sus partes que habían abusado de niños, y una y otra vez la historia era la misma: cuando, de pequeño, habían abusado del agresor, una de sus partes protectoras, desesperada por protegerlos, había hecho suya la energía furiosa o sexualmente violenta de su asaltante y utilizado esa energía para protegerse del agresor. Ahora bien, desde ese momento, esa parte protectora había seguido llevando consigo esa carga del odio del delincuente, así como de su deseo de dominar y castigar la vulnerabilidad. La parte también se había quedado anclada en la época de los abusos.

Así pues, el impulso de abusar de un niño procedía de la capacidad de dañar y dominar a alguien pobre e inocente. En sus psiques, esas partes agresoras hacían lo mismo a sus propias partes vulnerables e infantiles. Este proceso —en el que los protectores de una generación asumen las cargas del agresor de sus padres cuando a ellos los agredían esos padres— es un modo de trasladar las cargas por legado.

Al curar a sus partes atascadas en el maltrato temprano, sus partes responsables descargaron las energías violentas o sexuales de sus padres y, como otras partes, enseguida se transformaron y asumieron valiosos roles. En esa etapa, tuve la oportunidad de trabajar con otros tipos de agresores (incluyendo asesinos), con conclusiones similares.

Recordaba al famoso Will Rodgers afirmando «Nunca he conocido a un hombre que no me cayera bien», y me di cuenta de que yo podía afirmar lo mismo de las partes. Acababan cayéndome todas bien, hasta las que habían cometido actos atroces.

En las décadas transcurridas desde entonces, he trabajado con innumerables clientes (como otros terapeutas de IFS de todo el mundo) y creo que puede decirse con seguridad que no hay partes malas. Las tradiciones espirituales nos alientan a tener compasión por todo el mundo. Y resulta que este aspecto de la IFS lo hace posible. La IFS trabaja a partir del supuesto radicalmente distinto de que cada parte —por malévola que parezca— tiene una dolorosa historia secreta que contar sobre cómo se vio obligada a asumir ese rol y empezó a arrastrar cargas que no le gustan y que siguen manejándola. Esto también conlleva unos pasos claros para ayudar a esas partes y a las personas en quienes habitan a sanar y a cambiar. Da esperanzas a los desesperados.

EL SELF

En esos primeros años en los que ayudaba a los clientes a escuchar y forjar mejores relaciones con sus partes, probé una técnica de la terapia Gestalt que conlleva el uso de varias sillas. Básicamente, consiste en que el cliente se sienta en una silla y habla con una silla vacía situada enfrente; para la IFS, les pedía que se imaginaran que la parte con la que conversaban estaba en esa silla vacía. Y como las partes también podían hablar, había mucho movimiento entre las sillas, así que, para que funcionase, acabé con la consulta repleta de sillas. Veía a los clientes desplazarse por la estancia, siendo sus diferentes partes, y aquello me ayudó a aprender mucho de las pautas que se daban entre las partes. Entonces un cliente perspicaz sugirió que desplazarse de una silla a otra podía ser innecesario y que podían hacer el mismo trabajo sentándose en una sola silla. Ese método funcionó de perlas con ese cliente en concreto, y cuando lo probé con otros les pareció que ellos también podían hacerlo así.

Mi propósito principal era ayudar a los clientes a forjar mejores relaciones con sus partes. Algunos patrones que siempre observo con las personas se parecían a lo que había presenciado como terapeuta familiar. Por ejemplo, un niño bulímico estaba hablando con su parte crítica y, de repente, se enfadaba con el crítico y empezaba a gritarle. En terapia familiar, pongamos que este cliente es una niña hablando con su madre crítica, se enfada y le grita. En esos casos, nos han enseñado a observar la estancia y comprobar si hay alguien que de forma encubierta se ponga de parte de la chica contra la madre; por ejemplo, el padre de la chica diciéndole que él tampoco está de acuerdo con la madre. Es entonces cuando pido al padre que se aparte del ángulo de visión de la chica, ésta poco a poco se calma y mejora su conversación con la madre.

Así que empecé a emplear esta técnica de «apartarse». Hacía que les pidieran a las otras partes que se apartaran, para que los pares de partes pudieran de veras profundizar y escucharse mutuamente. Por ejemplo, tal vez preguntaba: «¿Podrías encontrar a la que está enfadada con la parte objetivo [en este caso, el crítico] y limitarte a pedirle que se aparte un momento?». Para mi sorpresa, la mayoría de los clientes decían «Vale, ya se ha apartado», sin apenas vacilar, y cuando la parte se hacía a un lado, los clientes adoptaban un estado del todo diferente. Y entonces otras partes se sumaban (una parte temerosa, por ejemplo) y cuantas más se hacían a un lado para permitir al cliente hablar, más consciente y curioso se volvía éste. El simple hecho de lograr que esas otras partes abrieran más espacio en el interior parecía liberar a alguien que tenía curiosidad, pero también estaba tranquilo y confiado con respecto al crítico.

El Self está en todos.

Cuando los clientes estaban en ese punto el diálogo iba bien. El crítico bajaba la guardia y contaba su historia secreta, el cliente se compadecía de él y descubríamos lo que protegía, etcétera. Cliente a cliente, la misma parte conscientemente curiosa, tranquila, confiada y a menudo compasiva surgía de la nada y parecía saber cómo relacionarse internamente de un modo sanador. Y cuando los clientes se hallaban en ese estado, les preguntaba: «Veamos, ¿qué parte tuya es ésa?». Y respondían «Ésa no es una parte como el resto, es más yo mismo», «Es más mi esencia» o «Ése es quien realmente soy».

Ésa es la parte que yo llamo el Self. Y al cabo de miles de horas dedicándome a esto, puedo afirmar con certeza que el Self está en todo el mundo. Es más, al Self no se le puede hacer daño, el Self no tiene que desarrollarse y el Self posee su propio sentido común sobre cómo sanar tanto las relaciones internas como las externas.

Para mí, ése fue el hallazgo más notable con que me encontré. Es lo que lo cambia todo. El Self está justo por debajo de la superficie de nuestras partes protectoras, así que, cuando le dejan sitio, se presenta espontáneamente, a menudo bastante de pronto, y de modo universal.

TE TOCA

Pues ésta es mi introducción a la IFS. De entrada, tiene cierto sentido conceptual para muchas personas; sin embargo, hasta no haberla experimentado en primera persona, cuesta entender de qué estoy en realidad hablando. Así que ahora te toca a ti. Voy a invitarte a probar un ejercicio pensado para que empieces a conocerte a ti mismo de modo diferente.

EJERCICIO: CONOCER A UN PROTECTOR

Ponte cómodo por un momento. Sitúate como si fueras a meditar. Si te va bien respirar profundamente, puedes hacerlo.

Ahora te invito a explorar tu cuerpo y tu mente, fijándote especialmente en cualesquiera pensamientos, emociones, sensaciones o impulsos que destaquen. De momento, no difiere de la práctica del mindfulness, donde nos limitamos a percibir lo que hay y a separarnos de ello un poco.

Al hacerlo, fíjate en si alguna de esas emociones, pensamientos, sensaciones o impulsos te reclama, si parece que busque tu atención. En caso afirmativo, intenta entonces concentrarte exclusivamente en ello un minuto y comprueba si aciertas a detectar en qué punto del interior de tu cuerpo o tu alrededor se halla.

Al detectarlo, observa lo que *tú* sientes al respecto. Es decir, ¿te desagrada? ¿Te molesta? ¿Te asusta? ¿Quieres quitártelo de encima? ¿Dependes de ello? Simplemente nos limitamos a percibir que tienes una relación con este pensamiento, emoción, sensación o impulso. Si sientes algo además de una especie de apertura o curiosidad por ello, pregunta a las partes tuyas a las que tal vez no les gusta o lo temen o tienen algún otro sentimiento extremo al respecto, simplemente para relajarte en tu interior y darte algo de espacio para conocerlo sin mala disposición.

Si no logras llegar a ese punto de curiosidad, no pasa nada. Puedes dedicarte a hablar con las partes tuyas que no deseen relajar sus miedos de dejarte interactuar con la emoción, pensamiento, sensación o impulso al que apuntamos.

Eso sí, si logras alcanzar ese punto de curiosidad consciente con respecto al objetivo, interactuar con él no entraña peligro alguno. De momento, tal vez se te haga un poco raro, pero tú pruébalo. Y con esto me refiero a que, al concentrarte en esta emoción, impulso, pensamiento o sensación y notar que está en ese punto de tu cuerpo, preguntes si hay algo que quiera que tú sepas y espera una respuesta. No pienses en la respuesta, para que toda parte pensante pueda también relajarse. Limítate a aguardar en silencio concentrado en ese punto de tu cuerpo hasta que llegue una respuesta y, si no llega nada, tampoco hay problema.

Si obtienes una respuesta, puedes proseguir, preguntando qué teme esa parte que sucedería si no hiciera lo que hace en tu interior. ¿Qué teme esa parte que sucedería si no hiciera lo que hace? Y si responde a esa pregunta, probablemente habrás descubierto algo sobre cómo intenta protegerte. Si es verdad, entonces prueba a mostrarle algo de reconocimiento por al menos tratar de mantenerte a salvo y observa cómo reacciona ante tu reconocimiento. Luego pregunta a esa parte qué necesita de ti en lo sucesivo.

Cuando te parezca oportuno, vuelve a concentrarte en el mundo exterior y fíjate más en lo que te rodea, pero también agradece a tus partes lo que te hayan permitido hacer y hazles saber que no es su última oportunidad de conversar contigo, porque tienes previsto conocerlas aún más.

Espero que hayas podido seguirme en este viaje y que hayas extraído información. A veces lo que se descubre puede sorprender bastante. Y para mí, esas emociones, sensaciones, pensamientos, impulsos y otras cosas emanan de las partes: son lo que se llama *puntos de partida.* La razón es que, cuando nos concentramos en uno, es como si estuviésemos emprendiendo una senda que nos conducirá a la parte de la que emana ese pensamiento, emoción, impulso o sensación. Y, al llegar a conocer a esa parte, descubrirás que no es sólo ese pensamiento, sensación, impulso o emoción. De hecho, te hará saber que tiene toda una gama de sentimientos y pensamientos, y puede hablarte del papel que desempeña y de por qué hace lo que hace. Entonces sentirá que la estás viendo y tú podrás mostrarle reconocimiento.

Es lo que empecé a hacer con los clientes a principios de los ochenta, y con ello se abrió un mundo completamente nuevo. Me recordaba a la clase de biología del instituto, cuando mirábamos por el microscópico una gota de agua de una charca y nos quedábamos estupefactos al ver todo tipo de pequeños paramecios, protozoos y amebas yendo arriba y abajo. Cuando nos limitamos a volver la atención al interior, descubrimos que lo que tomábamos por pensamientos y emociones aleatorios comprenden una comunidad interna frenética que lleva toda la vida interactuando entre bastidores.

En este ejercicio tal vez habrás notado que, sólo con concentrarte en una de tus partes, te estabas alejando (*separando*) de ella. Dicho de otro modo, de repente había un *tú* que observaba y un *ello* que estaba siendo observado. Como dije en la introducción, encontrarás este tipo de separación en los ejercicios de mindfulness y es un gran primer paso. Entonces dabas el siguiente paso, al estudiar cómo te sentías al respecto y notar lo que otras partes sentían al respecto. Si te ponía furioso o te daba miedo, es que no se trataba del Self, sino de otras partes que aún estaban mezcladas con el Self.

En este proceso, te vuelves hacia lo que estás observando y empiezas una nueva relación con ello.

Si has logrado que esas partes se hagan a un lado y abran paso, es probable que sintieras un cambio en el que adquirías mayor mindfulness. A mi modo de ver, accedías a tu Self a través de esa separación. El simple acto de lograr que otras partes abran paso saca a escena al Self, y gran parte de la meditación funciona sólo con trasladarte a esa mente más espaciosa, más vacía y permitirte experimentar la sensación de bienestar y tranquilidad que llena ese espacio.

No obstante, en vez de limitarte a observar lo que la mayoría de las tradiciones piensan del ego o como meros pensamientos y emociones efímeros, lo que haces en este proceso es volverte hacia lo que estás observando y empezar una nueva relación con ello, una que conlleva mucha curiosidad. Lo ideal es que sigas profundizado en la relación, y las partes agradecen de veras que lo hagas. Normalmente, han estado actuado por sí mismas sin ninguna supervisión adulta, y la mayoría son bastante jóvenes. Cuando por fin uno se vuelve a prestarles atención, es como si fuera un progenitor que ha sido algo negligente, pero que por fin está volviéndose más cuidadoso e interesado en sus hijos.

EJERCICIO: MAPEO DE LAS PARTES

Ahora voy a invitarte a conocer a un grupo de partes que tienen relaciones entre ellas. Necesitarás un cuaderno, así como lápiz o bolígrafo. Una vez más, concéntrate en tu interior y piensa en otra parte, no aquélla con la que acabas de trabajar, sino otra con la que te gustaría empezar esta vez. El punto de partida puede ser cualquier emoción, pensamiento, creencia, impulso o sensación.

Al concentrarte en esa nueva parte, ubícala en tu cuerpo. Y ahora limítate a permanecer concentrado en ella hasta conocerla lo suficiente como para poder representarla en el papel que tienes delante. No hace falta que sea una obra virtuosa; cualquier tipo de imagen vale. Hasta puede ser un garabato. Sólo tienes que dar con el modo de representar esa parte en una hoja en blanco. No pierdas la concentración en la parte, hasta saber cómo representarla, y entonces dibújala.

Una vez que hayas plasmado esa primera parte en el papel, vuelve a concentrarte en ella, en el mismo punto de tu cuerpo, y permanece concentrado en ella hasta notar que surgen algún tipo de cambio y otro punto de partida, esto es, otra parte. Y cuando eso ocurra, concéntrate en esa segunda parte, localízala en tu cuerpo y permanece con ella hasta que puedas también representarla en la hoja.

Cuando hayas dibujado esa segunda, retómala y no la abandones hasta notar que se producen un cambio y un punto de partida más. Y entonces vuelve la atención a esta nueva parte, localízala en tu cuerpo y permanece con ella hasta que puedas representarla en la hoja. A continuación, volveremos una vez más a esa tercera parte, nos concentraremos en ella en ese punto de tu cuerpo, y nos limitaremos a estar presentes hasta que aparezca otra. Y luego pasa a esta otra, localízala en tu cuerpo y permanece con ella hasta que puedas representarla.

Puedes repetir el proceso hasta tener la sensación de haber mapeado un sistema completo en tu interior. Cuando sientas que lo tiene, vuelva a observar lo que te rodea en el exterior.

Es probable que lo que hayas encontrado sea un *diente de ajo*, como lo llamamos en IFS. Tal vez conozcas la analogía de la cebolla empleada en psicoterapia: uno se desprende de sus capas, llega a la esencia, la sana y ya está. Pues en la IFS es más como una cabeza de ajos. Tiene todos estos dientes distintos, cada uno con un puñado de partes distintas relacionadas mutuamente, y puede que estén todas ancladas en un punto del pasado. Al trabajar con un diente, te sentirá aliviado de las cargas que contenía, pero quizá no hayas tocado otros dientes que giraban en torno a otros traumas. El propósito de este ejercicio de mapeo es dar pie a uno de tus dientes, un subsistema de su interior. Sigue libremente y define otros dientes.

Ahora quisiera que levantaras el papel y te lo alejaras un poco. Estira los brazos sujetando el cuaderno y observa estas cuatro o cinco partes que has representado con poca perspectiva. ¿Cómo se relacionan las partes entre ellas? ¿Las hay que protejan a otras? ¿Las hay que se peleen? ¿Hay alguna clase de alianza? Cuando empieces a elaborar respuestas, toma nota en tu dibujo para representarlas.

Ahora quisiera que volvieras a contemplar las partes y estudiaras lo que sientes por cada una de ellas. Después de ello, indaga qué necesita este sistema de ti. Por último, tómate un instante para volver a concentrarte en el interior y limítate a agradecer a esas partes el habérsete revelado y recuérdales que no es la última vez que hablarás con ellas. Entonces vuelve a dirigir la atención al exterior.

Aconsejo este ejercicio para muchos contextos. Por ejemplo, si tienes un problema apremiante en la vida, viaja a tu interior, mapéalo y parte de la respuesta te llegarán: ya sea sobre qué dirección tomar o sobre qué partes complican tanto las cosas. Definir las partes también es otro modo de separarse de ellas, porque es frecuente que estemos mezclados con más de una.

CAPÍTULO DOS

Por qué se mezclan las partes

En IFS empleamos el término *mezclado* para aludir al fenómeno en el que una parte fusiona su perspectiva, emociones, creencias e impulsos con nuestro Self. Cuando eso sucede, las cualidades de nuestro Self se ven eclipsadas y sustituidas por la de la parte. Podemos sentirnos sobrepasados por el miedo, la ira o la apatía. Podemos disociar, confundir las cosas o tener antojos. Dicho de otro modo, por lo menos temporalmente nos convertimos en la parte que se ha mezclado con nosotros. Pasamos a ser la niña asustadiza o el niño enfurruñado que fuimos un día.

¿Por qué se mezclan las partes? Las partes protectoras se mezclan porque creen que deben manejar las situaciones de nuestra vida. No confían en que nuestro Self lo haga. Por ejemplo, si nuestro padre nos pegaba de pequeños y no lográbamos detenerlo, nuestras partes dejaron de confiar en la capacidad de nuestro Self para proteger el sistema, así que acabaron creyendo que era su deber. Para establecer un paralelismo con las familias externas, se convierten en niños internos parentalizados. Es decir, asumen la responsabilidad de protegernos a pesar de que, al igual que los niños externos parentalizados, no están dotadas para hacerlo.

Es frecuente que las partes, en su afán por proteger, se radicalicen y tomen el control de nuestro sistema mezclándose. Algunas nos vuelven hipervigilantes; otras nos hacen reaccionar exageradamente, fruto del enfado, ante lo que nos parecen desaires; otras nos vuelven en cierto modo disociativos permanentemente o nos llevan a disociar por completo frente a supuestas amenazas. Las hay que se vuelven críticos internos que tratan de motivarnos para tener mejor aspecto o rendimiento, o intentan humillarnos para que no nos arriesguemos. Otras nos hacen cuidar a cuantos nos rodean y descuidar a nuestra propia persona.

La lista de roles protectores habituales en sistemas traumatizados sería interminable. Lo que cuenta es que esos síntomas y patrones son las actividades de partes jóvenes y estresadas que a menudo están ancladas en la época de traumas pasados y creen que seguimos siendo muy jóvenes e indefensos. Muchas creen que deben mezclarse o, de lo contrario, sucederá algo espantoso (a menudo que moriremos). Estando atascadas en el punto del pasado donde lo están, es comprensible que vean así las cosas.

Al igual que el sol, el Self puede ocultarse temporalmente, pero nunca desaparece.

Algunos andamos casi siempre mezclados con algunas partes y estamos tan acostumbrados que ni siquiera nos planteamos que las creencias que albergamos en consecuencia son extremas. Simplemente, sentimos en nuestro fuero interno que somos unos impostores, que no debemos confiar por completo en nadie o que debemos esforzarnos constantemente para no depauperarnos. Puede que ni siquiera seamos conscientes de esas creencias; sin embargo, esas cargas nos rigen la vida y jamás las revisamos ni cuestionamos.

Otras partes sólo se mezclan cuando las provocan: alguien nos rechaza y de pronto nos inunda la vergüenza; un automovilista nos corta el paso y la rabia se apodera de nosotros; debemos prepararnos para una presentación y nos entra un ataque de pánico. Sabemos que son reacciones exageradas, pero ignoramos por qué realmente nos alteramos tanto. Y como nunca preguntamos a nuestro interior, vamos por la vida creyéndonos personas susceptibles, iracundas o ansiosas.

Es importante recordar que, independientemente de lo mezclados que estemos, el Self sigue ahí: jamás se va. En la antigüedad, cuando había un eclipse solar y de repente oscurecía porque la luna tapaba el sol, la población era presa del pánico, convencida de que el sol había desaparecido. Al igual que el sol, el Self puede ocultarse temporalmente, pero nunca desaparece. Cuando la luna se desplaza o las nubes se disipan, el sol brilla más resplandeciente que nunca. Asimismo, cuando las partes se separan, la energía nutricia del Self enseguida vuelve a estar disponible y las partes se sienten reconfortadas al percibir la presencia de un líder interior tan fuerte y afectuoso.

Las partes mezcladas nos dan las proyecciones, transferencias y otras imágenes distorsionadas que constituyen la labor primordial de la psicoterapia. Estas distorsiones no se filtran en la opinión del Self. Cuando estamos en el Self, vemos el dolor que lleva a actuar a nuestros enemigos, en lugar de ver únicamente a sus partes protectoras.

Nuestros protectores sólo ven a los protectores de los demás. La claridad del Self nos aporta una especie de visión de rayos X, para que nos ocupemos de la vulnerabilidad de los protectores de la otra persona y les abramos el corazón.

Nuestros protectores sólo ven a los protectores de los demás.

El Self también percibe al Self en toda persona y, por consiguiente, tiene un sentido profundo de conexión, así como un intenso deseo de conectar con el Self del prójimo. Este sentido de conexión posee un elemento espiritual que estudiaremos más adelante en este libro: nos sentimos conectados al Espíritu, el Tao, Dios, Brahman, el Gran Self. Lo sentimos porque *estamos* conectados con él.

Al mezclarnos con partes que arrastran cargas, perdemos todo el sentido de esta conexión y nos sentimos separados unos de otros y del espíritu: solos y aislados. He aquí otro paralelismo entre los sistemas internos y externos. Una vez que están cargadas, nuestras partes se sienten aisladas y desconectadas unas de otras y de nuestro Self. No se dan cuenta de que lo que les pasa a las demás las afecta y de que el Self las ama. Y nosotros tampoco.

Así que encontrar a las partes mezcladas y ayudarlas a confiar en que separarse no entraña riesgos es una parte crucial de la IFS. Como puede que hayas descubierto en el ejercicio de mapeo, el mero hecho de notar las partes y plasmarlas en papel con frecuencia genera separación suficiente para poder tener otra perspectiva sobre ellas. Como cuando vemos una ciudad a treinta mil pies de altura, podemos ver con mayor claridad los roles que asumen y cómo funcionan como un sistema. Al salir de entre los árboles, podemos ver el bosque. No sólo podemos ver mejor las partes; también cuesta menos cuidar de cada una de ellas cuando estamos por encima, en vez de en medio de su fuego cruzado. Al separarnos lo suficiente de las partes que odian nuestro temor, por ejemplo, de repente nos damos cuenta de que no se trata de un puñado de neurosis irracionales, sino de una parte infantil asustada que necesita que la consuelen. Nos compadecemos de ese pequeño y queremos abrazarlo en lugar de regañarlo. Descubrimos que abrazar a las partes funciona de verdad: el miedo deja de invadirnos.

Muchas tradiciones espirituales subrayan la importancia de quererse, o por lo menos sentir compasión por uno mismo. La IFS nos dice exactamente cómo hacerlo. Por ejemplo, Kristin Neff y Chris Germer han brindado al público un amplio y maravilloso movimiento llamado Mindfulness y Autocompasión, basado en algunas prácticas budistas que son bastante compatibles con la IFS. La IFS concreta algo más esas prácticas, al ayudarnos a velar por partes específicas que están sufriendo o son antiguos enemigos y proporcionarles cuidado podemos percibir cómo reaccionan.

Asimismo, mientras que algunas tradiciones nos enseñan que debemos desarrollar el músculo de la compasión mediante ejercicios concretos, con la IFS el Self ya rebosa compasión. Lo único que necesita es que lo liberen, no que lo refuercen. Los ejercicios diarios pueden ser de utilidad para ayudar a las partes a confiar en que liberar la compasión no entraña riesgos, y eso puede acelerarse conociendo y abordando sus miedos a hacerlo.

De hecho, la mayoría de las meditaciones pueden considerarse ejercicios de separación. Tanto si nos separamos conscientemente de los pensamientos y emociones percibiéndolos desde una acepta-

ción serena como si lo hacemos repitiendo un mantra que los ador-
mezca, estamos accediendo al Self. Cuando esas meditaciones nos
ayudan a tener más calma, convicción, claridad, compasión, coraje,
creatividad, curiosidad y conexión en la vida (dentro de poco hablaremos más de esas ocho C), nuestras partes llegan a confiar más en
el liderazgo interior y exterior del Self. La IFS aporta un enfoque
particular de la meditación que puedes experimentar en el siguiente
ejercicio.

EJERCICIO: SEPARAR Y ENCARNAR

Ésta es una meditación breve de la que cada año hago una
versión, al igual que muchas personas que siguen el camino de
la IFS. Te animo a probarla como práctica diaria.

Ponte cómodo y, si te sirve, respira varias veces profundamente. A continuación, empieza por concentrarte y pasar revista a las partes con las que estás trabajando activamente. Para
ello, trata de encontrar cada una de ellas en el interior o alrededor del cuerpo e interésate por cómo les va. Es decir, pregunta
a cada una si hay algo que quiere que tú sepa o si necesita algo,
como harías con un niño que estuviera a tu cargo.

Según vayas conociéndola, en algún momento ayúdala a
conocerte mejor a ti —al tú que está ahora con ella—, puesto
que lo más habitual es que esas partes no nos conozcan realmente. Se han dedicado a interactuar con otras partes y a menudo creen que somos todavía niños pequeños.

A menudo, éste es su primer encuentro contigo, el tú que
siente curiosidad e interés por ellas. Déjalas, por lo tanto, que
sepan quién eres, incluso qué edad tienes, porque es frecuente que crean que eres mucho más joven. Hazles saber que ya
no están solas y comprueba su reacción. Puedes preguntarles,
si lo deseas, cuántos años creían que tenías. Hasta puedes pedirles que se vuelvan a mirarte.

Tras comprobar cómo están las partes con las que has empezado a trabajar, puedes hacer sitio e invitar a cualesquiera otras partes que necesiten atención a acudir y observar qué puntos de partida —pensamientos, emociones, sensaciones, impulsos— emergen. Del mismo modo, conoce a esas nuevas partes y ayúdalas a conocerte a ti.

La parte siguiente es opcional y puede que suceda o no. Vuelva a las partes, una por una, e invítalas a relajarse y a hacer sitio en el interior, para que tú esté más presente en tu cuerpo. Si una parte está dispuesta a ello, notarás un cambio palpable en el cuerpo o la mente en pro de un mayor desahogo y paz en ese lugar donde la parte parece residir. Si no ocurre, no te desesperes; puede que no te conozcan lo suficiente para confiar en que hacerlo no entraña riesgos. No hay problema.

Si, efectivamente, se separan, fíjate en esa sensación más encarnada y desahogada de quién eres y las cualidades que notas cuando estás en ese punto. ¿Qué tal se notan ahora el cuerpo y la mente? Percibe el desahogo, la sensación de bienestar y suficiencia: que tú eres suficiente. Nota también la sensación de que ahora mismo no hay que hacer nada y todo va bien. Hay quien experimenta espontáneamente una energía vibrante que le recorre el cuerpo, con un hormigueo en los dedos de las manos y los pies. Es lo que algunos denominan chi, kundalini o prana, pero en la IFS lo llamamos energía del Self.

Te invito a experimentar una sensación de lo que es para ti, para tu Self, estar más encarnado. Si puedes familiarizarte somáticamente con este estado, podrás notar cuándo lo estás viviendo y cuándo no, según transcurre la jornada. Todo abandono de este estado suele ser producto de la actividad de las partes que se han mezclado hasta cierto punto y te están proporcionando pensamientos molestos, con lo que bloquean el flujo de energía, te cierran el corazón, te hacen sentir presión en distintos puntos, etcétera. Puedes notar estas actividades y entonces tranquilizar a las partes que las practican diciendo que no hay necesidad de hacerlo, que separarse no entraña riesgos, al menos mientras dure la meditación. Luego ya podrán recuperar la atención si de veras lo desean. No obstante, he descubierto que las partes ganan gradualmente confianza en que es seguro y beneficioso permitir que el Self se encarne. También confían en que el Self las tiene presentes y está pendiente de ellas, que está siendo un buen padre interno. Todo este liderazgo del Self las ayuda a abandonar sus roles parentalizados y a plantearse soltar las cargas. En aproximadamente el siguiente minuto, te invito a volver a concentrarte en el exterior. Antes de regresar, sin embargo, agradece a las partes haberte permitido encarnarte más o, si no lo han hecho, haberte hecho saber que las asustaba demasiado hacerlo ya. Vuelve cuando te parezca adecuado.

Los cuatro objetivos básicos de la IFS

1. Liberar a las partes de los roles que se han visto obligadas a asumir, para que puedan ser quienes están destinadas a ser.
2. Restaurar la confianza en el Self y en el liderazgo del Self.
3. Devolver la armonía al sistema interno.
4. Estar más liderados por el Self en nuestras interacciones con el mundo.

Este tipo de separación no tiene por qué limitarse a sesiones de veinte minutos. Puede convertirse en un modelo de vida. Según transcurre mi jornada, yo me doy cuenta de hasta qué punto estoy en mi cuerpo, de cuánto de mi Self está presente. Me compruebo el corazón, a ver lo abierto que está; reviso si tengo la mente también abierta o si tengo un programa estricto o pensamientos impuestos, evalúo la resonancia de mi voz al hablar, noto si fluye o no esa energía vibrante del Self, examino si noto la tensión física en la frente o el peso en los hombros (que es por donde andan mis directivos), etcétera. Éstos son algunos de mis marcadores, y te animo a encontrar los tuyos propios.

Al cabo de muchos años de práctica, puedo pasar revista a esos marcadores enseguida y entonces pedir a cualesquiera partes activadas que se tranquilicen, se separen y confíen en mí para encarnar. Como mis partes ya se fían de mí, casi siempre noto rápido cambios en todas esas cualidades y puntos del cuerpo. Hay algunas circunstancias en las que hacerlo sigue suponiendo un reto, pero eso sólo significa que aún debo sanar algunas partes que se activan ante esas situaciones. Cuando podemos estar presentes de esta manera con nuestras partes en el mundo interno, desde ahí podemos dirigir más nuestra vida en el mundo externo.

En esta meditación, te hice decirles a tus partes qué edad tienes en realidad. Cuando pido a los clientes que hagan esa pregunta (esto es, «¿Cuántos años crees que tengo?»), tal vez en un 70% de las ocasiones la respuesta es un sólo dígito. A menudo el número con que se nos responde es la edad que teníamos cuando la parte tuvo que abandonar su valioso estado y adoptar el rol que ejerce actualmente. Es como si, en cuanto la parte asumió ese rol, se centrase en el mundo exterior y nunca se volviera a mirarnos: no se dio cuenta de que crecíamos. De ahí que muchas partes crean que aún están protegiéndonos de niños. En muchos casos, nuestra edad es una gran revelación para esas partes: muchas al principio no se la creen.

El propósito de este proceso de puesta al día es que nuestras partes se den cuenta de que no son los Llaneros Solitarios que creían ser. En su lugar, cuando llegan a confiar en nosotros —en nuestro Self— como el líder interno, sienten un enorme alivio y se convierten en quienes están concebidas para ser. Puede que se hagan algo mayores o sigan teniendo la misma edad, pero generalmente se transforman para adquirir valiosos roles.

MÁS SOBRE LAS PARTES

Antes de seguir profundizando en esta labor, quiero asegurarme de dejar claro a qué llamo partes. Como he comentado antes, es habitual que las partes se tomen erróneamente por los roles que ocupan. Como resultado, acabamos por combatirlas, rechazarlas o menospreciarlas.

Aquí encontramos un paralelismo con el prójimo. Tras haber sido traumatizadas o reiteradamente humilladas, las personas a menudo se comportan de modos extremos: tienen adicciones, rabia o ataques de pánico, se vuelven narcisistas u obsesivas. Nuestra cultura y el estamento psiquiátrico suelen responder con diagnósticos patologizadores y monolíticos. No obstante, gracias a los esfuerzos heroicos de Bessel van der Kolk y otros —como Gabor Maté en el ámbito de las adicciones—, esta tendencia ha empezado a cambiar, y podemos ver esos extremos como el resultado de sus historias de traumas y negligencia, de las que pueden ser liberadas. Como señalaré una y otra vez, ni las partes ni las personas son imperfectas ni destructivas por naturaleza.

> Las partes son pequeños seres internos que hacen cuanto pueden por mantenernos a salvo.

Todos tenemos esas partes. Y son todas valiosas hasta que adquieren cargas y se ven forzadas a desempeñar roles distorsionados a raíz de lo que nos sucedió en un pasado lejano.

La IFS empieza un proceso que les permite recobrar de nuevo por completo sus estados valiosos por naturaleza. Cuando eso sucede, no es sólo que la parte abandone su rol extremo, sino que entonces podemos acceder a sus cualidades y recursos con los que antes no podíamos conectar.

Al fin y al cabo, las partes no son desgracias ni son el ego. Son pequeños seres internos que hacen cuanto pueden por mantenernos a nosotros y a los demás a salvo y que las cosas no se desmanden. Sus personalidades son de todo tipo: cada una tiene distintos deseos, distintas edades, distintas opiniones, distintos talentos y distintos recursos. En vez de ser puras molestias o desgracias (como puede ser el caso cuando se hallan en sus roles extremos), son seres internos maravillosos.

En su estado natural, la mente tiene partes: no son fruto del trauma ni de la interiorización de voces o energías externas. Sencillamente, así estamos hechos, y eso es positivo, porque todas nuestras partes disponen de cualidades y recursos valiosos que aportarnos.

Así que la parte furiosa no es un manojo de furia. Si la escuchas con la mente abierta, oirás que tiene mucho por lo que estar furiosa, pero también tiene miedo y tristeza y sólo trata de mantenerte a salvo estando furiosa. Recuerda que las partes tienen distintos deseos, edades, emociones y opiniones, así que son como personas internas y, como la mayoría son bastante jóvenes, parecen más bien niños interiores.

Cuando eras pequeño y pasaste por traumas o heridas de apego, no contabas con suficiente cuerpo o mente para protegerte. Tu Self no podía proteger a tus partes, así que éstas dejaron de confiar en tu Self como líder interno. Puede que incluso hayan expulsado a tu Self del cuerpo y encajado ellas el golpe: creían que debían tomar las riendas y protegeros a ti y al resto de tus partes. Sin embargo, al intentar manejar la emergencia, se quedaron atascadas en ese lugar parentalizado y llevan consigo cargas intensas de responsabilidad y miedo, como un hijo parentalizado en una familia.

Por eso les es de gran ayuda darse cuenta de que ya no tenemos esa corta edad. Sin embargo, permanecen ancladas no porque no estén seguras de tu edad, sino porque viven en el pasado: congeladas en el tiempo en que viviste los traumas. De ahí que sigan pensando que deben proteger también a otras partes heridas por esas experiencias y que lleven a cuestas las cargas —las creencias y emociones extremas— de esa época. Se sienten solas con toda esa presión y terror. El mero hecho de volver la atención al interior, empezar a escucharlas y a hablarles y hacerles saber que no están solas —porque *tú* estás ahí para cuidarlas— es muy innovador y bien acogido para esa orfandad interna.

Cinco cosas que saber de las partes

1. **Las partes son innatas.** Los investigadores de la infancia como T. Berry Brazelton refieren que los lactantes alternan cinco o seis estados, uno detrás del otro.[1] Quizá ésas sean las partes que aparecen al nacer y el resto permanecen latentes hasta el momento adecuado de nuestro desarrollo, cuando se las necesita y surgen de repente. Por ejemplo, quienes tengan hijos tal vez recordarán esa noche en la que acostaron a un obediente pequeño de dos años y el mismo chiquillo se despertó a la mañana siguiente diciendo no a prácticamente todo. Esa parte asertiva hizo su debut de la noche a la mañana. Así que tener partes es el estado natural de la mente.

2. **No hay ninguna mala.** Cuando llegues a conocerlas, descubrirás toda su gama de personalidades. La mayoría —incluso las que dominan nuestra vida y pueden ser bastante racionales— son jóvenes. Una vez que las partes se liberen de las cargas, manifestarán su verdadera naturaleza mediante valiosas cualidades (como el placer, la alegría, la sensibilidad, la empatía, la capacidad de asombro, la sexualidad) y recursos (como la capacidad de concentración, discernimiento claro, resolución de problemas, pasión por prestar servicio al prójimo o al mundo) a las que entonces tendrás acceso y te enriquecerán la vida.

3. **A menudo hay que ganarse su confianza.** El hecho de que estén cargadas sugiere que no las protegimos en el pasado, y es posible que las hayamos encerrado y explotado mediante la dependencia de sus roles protectores extremos, así que normalmente tienen razones de peso para no confiar en ti. Al igual que los niños salvajes, necesitan nuestro amor

---

1. Brazelton, T. Berry (1983). *Infants and Mothers: Differences in Development*. Dell.

y cuidado, pero de entrada no se fían por lo que han vivido con nosotros. A veces hay que mostrarse en el Self repetidamente y disculparnos para recobrar su confianza. Por suerte, en realidad no son niños salvajes externos, así que este proceso de generación de confianza no suele requerir más que unas cuantas visitas.

4. **Pueden causar grandes daños en el cuerpo y en la vida.** Al estar ancladas en terribles escenas del pasado y llevar consigo cargas de esa época, harán lo que necesiten para captar nuestra atención si nos negamos a escuchar: castigarnos a nosotros o a otros, convencer a los demás de que las cuiden, sabotear nuestros planes o eliminar a personas de nuestra vida que consideran una amenaza. Para hacer esas y otras cosas, pueden exacerbar o provocarnos síntomas físicos o enfermedades, pesadillas y sueños extraños, arrebatos emocionales y estados emocionales crónicos.

De hecho, la mayoría de los síndromes que configuran el *DSM (El manual diagnóstico y estadístico)* no son más que descripciones de los distintos grupos de protectores que dominan a las personas después de pasar por traumas. Al plantearse esos diagnósticos de tal modo, uno se siente mucho menos inepto y mucho más capacitado para ayudar a esos protectores a abandonar esos roles.

5. **Son muy importantes y merecen que se las tome en serio.** Si podemos forjar una nueva relación afectuosa con ellas y ayudarlas a transformarse, se convierten en una estupenda compañía, consejera y compañera de juegos. Nos sorprendemos deseando pasar tiempo con ellas y escuchar las ideas que nos tienen reservadas. Sus conflictos ya no nos molestan tanto, porque sabemos que son sencillamente partes y podemos ayudarlas a llevarse bien: nos convertimos en buenos padres o madres internos cuando es preciso. Y el mero hecho de pasar tiempo con ellas se convierte en un agradable modelo de vida.

Sesión uno: Sam

He incluido en el libro varias transcripciones de sesiones de IFS para que te hagas una idea más precisa de cómo se desarrolla en tiempo real el trabajo que estoy describiendo. Por si no está claro, soy la parte transcrita denominada Dick o simplemente D.

Imparto clases todos los años en un precioso centro de retiro cerca de Big Sur, California, llamado Esalen. El invierno pasado, Sam Stern (que se encargaba de su podcast por aquel entonces) me pidió una entrevista con él, y aceptó valientemente permitirme mostrar la IFS con él. Era su primera experiencia con IFS. Si deseas escuchar la entrevista, visita soundcloud.com/voices-of-esalen/dr-richard-schwartz-internal-family-systems.

DICK: Veamos, ¿qué te gustaría abordar?

SAM: Bueno, en parte de tu trabajo hablas de un punto de partida, de tomar nota de un área que puede dar juego o sea interesante trabajar con ella. Sufrí acoso escolar en octavo, y lo pasé mal. Sí, lo llevé a mi interior. Fue como si bloqueara algunos aspectos de mí.

D: Perfecto. Entonces, ¿quieres centrarte en el dolor que aquello conllevó? ¿O en la vergüenza? ¿Quieres centrarte en la parte que te bloqueó?

S: Ésa, la bloqueada.

D: Entonces adelante, encuentra esa parte de ti que bloqueaste, a ver si la localizas en el interior o alrededor de tu cuerpo.

S: ¿Qué es lo que busco, Dick?

D: Una parte entumecida, tal vez... Te diré cómo puedes hacerlo. Al pensar en dirigirte a ese chaval de trece años del interior, ¿qué te sobreviene desde el punto de vista del temor?

S: No siento temor. Puedo ver a ese chico y es flojo o débil y no siento conexión con él.

D: ¿Qué sientes por él al verte ahí?

S: No quiero estar con él.

D: De acuerdo, entonces concéntrate en esa sensación de no querer estar con él y pregunta a esa parte qué teme que ocurra si le dejas estar con él.

S: Mmm, me parece que tiene miedo de que le agredan físicamente. Sí, casi como si tal vez me temiera.

D: Bien, pero ¿qué sientes por él?

S: Quiero que aprenda a ser fuerte. Tiene que atacar y defenderse.

D: Entendido. Dile a esa parte que comprendemos por qué desea eso, pero vamos a pedirle que nos preste el espacio para intentar ayudar a este chico de otro modo y ver si estaría dispuesto a apartarse y relajarse ahí dentro un poco.

S: ¿Pero le digo algo?

D: No hace falta que lo digas en voz alta, sólo interiormente, y comprueba si sientes que esa parte se hace a un lado o se tranquiliza.

S: Sí, esa parte furiosa que ataca estaría dispuesta a hacerse a un lado.

D: Y cuando lo hace, ¿qué sientes ahora por el chaval?

S: Mayor cercanía. Es como mi hermano.

D: Sí, bien. Pues dile que estás ahí para ayudar y veamos cómo reacciona a esa noticia.

S: ¡Sí! Se siente bien. Casi como si estuviera más lleno de vida, y está como animado y tranquilo.

D: Estupendo. Ya. Bien, ahora pregúntale qué quiere que sepas sobre él y espera a que llegue la respuesta.

S: Me llega que quiere estar en el equipo de béisbol. Ahora es como si fuésemos amigos. Sí, se está abriendo, y parece que podríamos divertirnos de lo lindo si se quedara a dormir.

D: Qué bueno. Bien, Sam, sigue y pídele que te permita hacerte de verdad una idea de lo que le pasó y le hizo sentir acosado. Limítate a esperar lo que sea que él quiera darte en forma de emociones, sensaciones o imágenes.

S: Dice que se llevó una sorpresa. Le fallaron. Él creía que entre él y aquel tío no pasaba nada —vamos, que estaban del mismo lado— y entonces, de repente, va y le llama para decirle que lo va a hinchar a hostias.

D: De acuerdo. ¿Te parece normal, Sam, que eso le sentara fatal?

S: Claro.

D: Sí. Pues hazle saber que lo entiendes. Y cualquier otra cosa que él desee contarte y cómo lo vivió.

S: He pensado tanto en esto que me cuesta separar mis ideas preconcebidas al respecto de mis recuerdos de ello.

D: Entiendo. Pues pediremos a la parte pensante, a la parte narradora, que también nos ceda algo de espacio, como hemos hecho con el resto, para comprobar si es posible. Comprueba si esa parte pensante también está dispuesta a salir de escena.

S: Vale, ya lo ha hecho.

D: Ahora sigue adelante y vuelve a pedir al chaval de trece años que te cuente de verdad lo que sucedió y lo fuerte que fue.

S: Sólo el rechazo. Siento como si estuviera allí y luego hubiese retrocedido.

D: Ya. Busca la parte que te hizo retroceder.

S: Tiene miedo de que yo vaya a sentir demasiado. De que me dé vergüenza. De que me juzgue.

D: ¿Tiene él miedo de ese chico duro original? ¿Le pegaría por haber llorado? [*Sam asiente*] No hace falta seguir si da demasiado miedo, pero vamos a pedir a ese chico duro que se quede un rato en una estancia aparte. Dile que luego hablaremos con él y le dejaremos salir.

S: Lo comprende.

D: Muy bien. Pues ahora comprueba si la parte que apareció para apartarte puede dejarnos volver. Te prometo que, si de verdad te dejan llegar hasta el final, podemos sanar a ese chaval acosado para que deje de estar anclado en el ayer. Ya no se sentirá mal y las partes ya no tendrán que preocuparse por él. Lo único que necesitamos es que nos cedan el espacio.

S: Bueno, el chico duro dice que se quedará en la estancia. Dice que está listo. Nos cederá el espacio.

D: De acuerdo. Esto está muy bien. Intenta volver con ese chaval.

S: No noto que esté con el chaval.

D: Eso es que hay otra parte por el medio. Pregunta a quien te bloquea qué teme que suceda ahora si te permite estar con él.

S: No llevarse nada: llevarse como un espacio vacío.

D: Entendido. Entonces déjame hablar directamente con la parte. A ver, ¿estás ahí? ¿Estás dispuesta a hablar conmigo?

S: Sí.

D: Bien, así que eres la parte de Sam que le impide estar con el chico ahora, ¿correcto?

S: Sí.

D: ¿Y qué temes que suceda si le dejas volver al chico y sentirlo un poco?

S: Conectar con ese chico débil ablandaría a toda la persona.

D: ¿Y qué ocurriría si Sam fuera más blando?

S: Que tendría que cambiar a toda esa persona que he dedicado tanto tiempo a construir. Quiero decir que soy muy estricto. Todo funciona tal como yo lo hago.

D: Comprendo. Bueno, vale, no queremos hacerte una faena. Por otro lado, creo que, en parte, si tienes que ser tan estricto, si tienes que trabajar tan duro, es porque ese chico está ahí e intentas mantener a Sam alejado de él.

S: Es verdad.

D: Y lo que te ofrezco es la posibilidad de no tener que trabajar tan duro, porque el chaval se va a sentir bien.

S: Vale, pero si no estoy ahí, entonces, ¿cómo voy a ayudar a Sam a salir adelante, a hacerlo todo?

D: Te entiendo, así que no lo haremos sin tu permiso. Ahora bien, si te prestas a ello, te prometo que podemos hacer exactamente lo que he dicho, y quedarás libre de hacer nada más.

S: Sí, vale, si acaba siendo lo mejor para Sam, me apunto.

D: De acuerdo, genial. Pues, si no te importa, ve a la sala de espera hasta que acabemos y déjame volver a hablar con Sam. Sam, a ver si ahora puedes acercarte al chico.

S: Sí, me siento cerca de él.

D: Bien. Dile que has vuelto y que lamentas haberte dejado apartar por esas partes. Y que sepa que estás preparado para saber todo lo demás. Todo lo que él quiera que sepas sobre lo mal que lo pasó.

S: Sí. Se siente pequeñísimo. De menos de trece años. Mucho menos. Sí, igual como de dos años.

D: Entendido. ¿Qué te inspira el niño de dos años?

S: Ternura.

D: Estupendo. Pues hazle saber a esa parte también que estás a su lado y te importa. Y comprueba lo que él quiere que sepas.

S: Ahora mismo siento mucho amor. Siento como si se me estuviera abriendo el corazón. Y, sí, también siento amor por el chico de trece años. Algo así como ternura, como la de un padre.

D: Bien. Házselo saber a los dos.

S: Es una sensación agradable. Es muy muy bonito.

D: Bueno, podemos seguir con esto un rato si quieres. Sin embargo, mantente abierto por si hay algo que quieran que sepas.

S: Siento a mi yo de trece años. Lo veo y va vestido con esa especie de ropa rara de un chaval de séptimo u octavo. Y que siente que no es adolescente ni está lo suficientemente desarrollado. La ropa no le sienta bien y no podía defenderse bien. Se notaba los huesos como quebradizos. El chico no me disgusta. Ahora empatizo con él.

D: Díselo, y comprueba si hay algo más que quiera que comprendas de todo aquello.

S: Quiere ser divertido y popular y dolía mucho. El acoso se cargaba esa idea de ser popular. Lo bloqueaba por completo. Sí. Y estoy pensando en cómo más tarde, al crecer, cuando tenía diecinueve años e iba a la universidad, encontré un modo de molar, lo importante que era aquello para mí.

D: Claro. Dile que lo comprendes todo y mira a ver si hay algo más que quiera que entiendas.

S: Sí. No hay ninguna maldad en él. No está furioso. Su postura es más bien la de «no me hagas daño», pero en cierto modo aún optimista.

D: Bien. Pero pregúntale si siente que sabes lo mucho que dolía. O si hay más cosas que quiera que comprendas.

S: Sí, estoy accediendo a un tipo de sentimiento suyo y del terror más estilo «noche oscura del alma».

D: Dile que no tienes ningún problema. Que de verdad quieres sentirlo. Tanto como él quiere que lo sientas. ¿Siente el chico que ahora comprendes del todo lo asustado que estaba?

S: Dice que sí.

D: Bien. Mira, Sam, quiero que te traslades a esa época y estés con el chaval tal como necesitaba de alguien por aquel entonces. Avísame cuando estés ahí con él.

S: Estoy ahí. Le estoy diciendo que soy un amigo, un protector.

D: Estupendo. ¿Y él cómo reacciona?

S: Se siente bien. Tiene a alguien de su parte.

D: Eso es bueno. Pregúntale si hay algo que quiere que hagas por él en ese lugar.

S: Quiere que lo lleve a la edad adulta, donde puedes tener relaciones sexuales y hacer cosas de mayores. Siempre ha querido estar en ese mundo.

D: De acuerdo, lo haremos, pero antes, ¿quiere el chico que hagas algo con el acosador u otra cosa en esa época antes de que lo saquemos?

S: No. No parece vengativo. Diría que no quiere que nadie se lleve una paliza.

D: Entendido. Pues llevémoslo adonde quiera ir. Puede ser el presente, puede ser un lugar de fantasía. Donde él quiera.

S: Quiere estar en el festival de Burning Man.

D: ¡Oh, sensacional! De acuerdo. [*Pausa*] ¿Cómo se muestra el chaval ahí?

S: Algo tímido.

D: Que sepa que le ayudarás a pillarle el tranquillo. Y dile que no tiene nunca que regresar a esa época de acoso. [*Sam llora de alivio con todas sus fuerzas*] Eso. Ahí viene el alivio, ¿verdad? Es estupendo. Sí. No tiene que regresar ahí nunca más. Es de verdad estupendo, Sam.

S: Increíble, tío. Me vienen lágrimas de alegría.

D: Qué maravilla, de verdad. Y no tiene nunca que volver, y ahora tú le cuidarás.

S: Es una pasada. Es como lo que siempre ha querido.

D: Eso es. Y ahora pregúntale si está listo para descargar los sentimientos y creencias que tenía entonces y que ha llevado a cuestas todo este tiempo. Pregúntale dónde carga todo eso: en el interior o alrededor del cuerpo, a través del cuerpo.

S: Alrededor de la cabeza. Alrededor de la cabeza, alrededor de las caderas y el corazón.

D: Vale. Pregúntale a qué elemento quiere dárselo todo: luz, agua, fuego, viento, tierra o cualquier otra cosa.

S: Luz.

D: Muy bien, Sam. Pues trae algo de luz e ilumínalo con ella. Y dile que lo suelte todo de su cuerpo, fuera de su cuerpo. Que deje que la luz se lo lleve, sin necesidad de llevarlo a cuestas nunca más. Que pase revista a su cuerpo, que se asegure de sacarlo todo. Eso es. Soltarlo sin más en la luz. Así. Dile que ahora invite a acudir a su cuerpo a cualidades que desee y compruebe qué llega ahora a su interior.

S: Una especie de orgullo y bondad para con el prójimo. Una sensación como de superhéroe de los buenos.

D: Fantástico. ¿Qué aspecto tiene ahora?

S: El de mi amigo más joven. Pero a salvo, claro, y fuerte.

D: Eso es. Pues vamos a sacar a todos los ocupantes de la sala de espera, hacerlos entrar y ver ahora al chaval, a ver cómo reaccionan. Diles que deben protegerle o no mantenerte alejado de él nunca más, así que ya pueden empezar a plantearse nuevos roles.

S: Veo curiosidad y desconcierto en la cara del tipo duro. Le deja completamente perplejo no ser yo.

D: No, él no es tú. Déjaselo claro. Él machacaba a ese chiquillo, y eso no era bueno, así que...

S: ¡De acuerdo!

D: Ahora tiene que ocurrírsele un nuevo rol. Pregúntale qué le gustaría hacer si de verdad creyera que no tiene que protegerte como antes.

S: Bueno, dice que todo se le da muy bien. ¿Puede limitarse a escoger? Tiene un concepto muy muy bueno de sí mismo. Buenísimo. Le parece que, de todas las cosas buenas que he hecho en la vida, el mérito es suyo. Sí.

D: Puede plantearse un rol nuevo. No hace falta que lo decida ya. ¿Qué tal se está ahí ahora?

S: Se siente amplitud. Es interesante y distinto.

D: Ya, bien. De momento, ¿te parece que hemos acabado?

S: Así es, y me interesa cómo puedo dirigirme a ese tipo duro para decirle que, aunque ya no lleva la batuta, sigue siendo importante para mí.

D: Eso es exactamente lo que debes decirle. No necesitas esforzarte para acceder a él…, siempre anda por aquí. Tú concéntrate en él y háblale de ello. Así. Vuelve. Ha sido un trabajo precioso, Sam.

S: Sí. Gracias. No me lo esperaba.

Quería incluir esta sesión porque ilustra muchas de las bases de la IFS. Por ejemplo, yo pido reiteradamente a distintos protectores que hagan sitio hasta que emerja el Self de Sam y él dice espontáneamente que se siente más cerca del exiliado de trece años. Entonces es testigo del acoso que sufría el chico y logra que las partes que buscan interferir con la presenciación que se retiren para poder completarla. Luego le hago dirigirse al chaval de trece años en el pasado y llevarlo a un lugar seguro (Burning Man), y entonces el chico está dispuesto a descargar las emociones que le ocasionó el acoso. El chico se libera de la carga y se transforma. Y, por último, traemos a su protector más dominante, el tipo duro, para que vea que el chico no necesita su protección y puede plantearse un nuevo rol. Entretanto, sus partes cada vez iban confiando más en el liderazgo de Sam.

Pasamos de separar a las partes y liberar al Self a presenciar, recuperar y descargar a un exiliado, para luego ayudar a un protector a pensar en un nuevo rol. Además, hubo un momento en el que hablé directamente con un protector, una práctica que denominamos *acceso directo*. Mientras muchos de los protectores de Sam interferían en distintos momentos, no tardaron en estar dispuestos a hacer sitio una vez él y yo los tranquilizamos. Esto no es así con la mayoría de personas —sus protectores tardan más en confiar en ellas y en mí—, así que no te frustres si tus sesiones no avanzan tan rápido.

También quería incluir esta sesión porque es un muy buen ejemplo de los muchos chicos (yo incluido) que se ven obligados a manejar sus heridas y, en consecuencia, acaban dominados por partes de tipos duros que desprecian la vulnerabilidad en sí mismos y en los demás. Sam tenía poco de machote (¡pero si hace un podcast para Esalen, por el amor de Dios!), pero esa experiencia temprana de acoso y su reacción tuvieron una influencia notable en su vida.

A modo de colofón, quiero incluir un mensaje que Sam me envió al cabo de unos seis meses de la sesión:

> Personalmente, para mí fue un adelanto extraordinario. Había pensado (y sentido) MUCHO sobre esa parte de mí. El chiquillo de mi interior siente una gran sanación y mucha aceptación. He pensado mucho en el «tipo duro» y me doy cuenta de hasta qué punto he estado pegado a él. No me he «separado» de él, por así decirlo, pero soy mucho más consciente de su presencia y mi dependencia de él al haber entendido, a través de tu trabajo, cómo me he organizado. Tengo curiosidad por saber cómo podría el tipo duro funcionar (¿como creativo? ¿ayudando a los demás?) en cuanto yo siga liberándole de sus obligaciones por ser «el hombre». Naturalmente, sé que tengo más trabajo por delante, y la paternidad me lleva a querer llevarlo a cabo.[2]

---

2. Correspondencia de seguimiento con Sam del autor.

CAPÍTULO TRES

Eso lo cambia todo

En el cristianismo, la definición de pecado es cualquier cosa que nos desconecte de Dios y nos desvíe del camino. Las cargas desconectan al Self de las partes y les dan impulsos extremos. Las partes cargadas no notan el Self para nada o bien no lo escuchan. Así que, cuando las partes se descargan, no es sólo que se transformen inmediatamente, sino que entonces también tienen mucha más conexión con el Self y confían más en él, que es el segundo objetivo de la IFS.

Es como si hubiera un pedazo de Dios —a falta de una palabra mejor— en todos nosotros y, como es evidente, en todas nuestras partes.

Cuando empecé a entenderlo, encontraba paralelismos entre el mundo interno y el mundo externo. Al igual que las personas van por el mundo sintiéndose desconectadas unas de otras y de aquello a lo que llaman Dios (que yo denominaré SELF), a causa de las cargas (pecado) que llevan a cuestas, las partes también van por ahí sintiéndose desconectadas unas de otras y de nosotros. Descargarlas no sólo permite esa reconexión en el interior, sino que también fomenta una mayor conexión entre uno y el nombre con que se prefiera llamar al gran SELF.

Al llevar a cabo este tipo de sanación, no sólo nos ayudamos a no padecer síntomas y sentirnos mejor, sino que también atamos cabos. Es como si hubiera un pedazo de Dios —a falta de una palabra mejor— en todos nosotros y, como es evidente, en todas nuestras partes.

Al haber practicado la IFS con pacientes cuyo diagnóstico era trastorno de identidad disociativo, me he encontrado a menudo hablando directamente con una de sus partes en múltiples sesiones. Al hacerlo, la parte empezaba a hablar de sus partes, y acabé sabiendo que la parte también tenía un Self.

¡De entrada, por poco me da un infarto! ¿Las partes tenían partes? Sin embargo, cuando me calmé, vi que tenía cierto sentido estético o espiritual el tener sistemas paralelos o isomórficos (de la misma forma) en todos los niveles. Es como esas muñecas rusas que se apilan: sistemas similares incrustados en sistemas mayores. Otra analogía serían los fractales. Aunque al principio me desconcertó, encuentro algo bello en este fenómeno de sistemas paralelos anidados, aunque no sé hasta dónde llega. De hecho, he trabajado con subpartes de una parte y descubrí que también constaban de partes.

Como he dicho antes, he llegado a considerar a las partes seres sagrados. Contienen su propio Self y merecen el amor y compasión de nuestro Self. Volviendo al cristianismo, parece equivaler a la idea de que las personas están creadas a imagen de Dios y son merecedoras del amor de Dios. Si las personas pueden descargarse, transformarse en su verdadera naturaleza y sentir que reconectan con algo mayor, ¿por qué no iba a ser igual con las partes?

Durante varios años impartimos formaciones en IFS en el Reformed Theological Seminary de Jackson, Misisipi, y todo el alumnado era cristiano evangélico. Yo sabía que les había estado diciendo que las personas eran básicamente buenas, así que me esperaba que argumentaran que las personas eran básicamente malas y, en efecto, tuvimos ese debate. Yo pregunté: «¿No dice la Biblia que el hombre fue creado a imagen de Dios?». Ellos replicaron: «Sí, es verdad, pero sólo hay esta pequeña semilla, que está cubierta por todo ese pecado original». Y yo repuse: «Bueno, si podemos traducir pecado original como cargas, entonces estamos hablando el mismo idioma».

Su profesor, Bill Richardson, lo resumió bien. «Mire —dijo—, sé más o menos lo que trata de hacer. Nos está pidiendo que hagamos en nuestro interior lo que Jesús hizo en el mundo exterior». Es decir,

Jesús se acercó con compasión y curiosidad a los exiliados del mundo exterior y los sanó: a los leprosos, a los pobres, a los marginados. Volviendo a lo de atar cabos, ¿y si cada uno de nosotros y cada una de nuestras partes contiene un fragmento de SELF que anhela volver a conectar consigo mismo? ¿Y si, al ayudar a las partes a desprenderse de las cargas y confiar en nuestro Self para que sintamos nuestra conexión con el prójimo, con el planeta y con el SELF, estamos contribuyendo a este proyecto más ambicioso de reconexión divina? Creo que esto es lo que la IFS ofrece a los buscadores espirituales. Nuestra iluminación brilla y se prolonga mucho más si todos participamos y no tratamos al ego como a esa parte mala que hay que dejar atrás bajo el polvo, camino de alcanzar esa iluminación. Nuestras partes anhelan conectar con nuestro Self, tanto como nosotros anhelamos conectar con el SELF.

Nuestras partes anhelan conectar con nuestro Self, tanto como nosotros anhelamos conectar con el SELF.

Cuando las personas dedican tiempo a explorar el interior, todas llegan a la misma conclusión: que ese Self esencial es quien somos en realidad. Creo que lo que a menudo recibe el nombre de despertar o iluminación es el descubrimiento físico de ese hecho, y ese paso de identificarnos con nuestras partes y sus cargas a identificarnos como nuestro Self tiene profundas repercusiones.

Lo que estamos comentando trasciende toda religión concreta, y ni siquiera requiere que creamos en algo espiritual, sólo que lleguemos a aceptar que esta preciosa esencia está presente en nosotros y en todos los demás, y que se puede acceder a ella sólo con hacer sitio en el interior. Algunas meditaciones lo hacen vaciando la mente; sin embargo, en la IFS, en vez de pelear con partes que no quieren que las vacíen, les pedimos con cariño que hagan sitio en el interior por unos minutos y luego descubran que emerge el Self... inmediata y espontáneamente.

Una vez más, esto no suena más que a un montón de palabrería hasta que uno lo experimenta por sí mismo, así que pasemos ahora a algunos ejercicios pensados para ayudarte a conocer mejor tus partes y aportarles más Self.

EJERCICIO: MEDITACIÓN DEL DILEMA

Te vuelvo a invitar a ponerte cómodo y respirar varias veces profundamente. Ahora piensa en algún dilema de tu vida, ya sea uno al que te enfrentas actualmente o al que te enfrentaste en el pasado. Escoge algo que te haya acarreado grandes dosis de conflicto.

Y al concentrarte en este dilema, fíjate en las partes que hay en cada bando y como combaten unas con otras. Luego observa lo que sientes ante esa disputa o por cada parte de la disputa. Ahora vamos a conocer a todas esas partes, una por una.

Para ello pedirás a una de ellas que se traslade a una especie de sala de espera. Así se creará una especie de frontera que permitirá que la parte con la que ahora trabajas se relaje un poco. Empieza por conocer a la que no está en la sala de espera. Y fíjate de nuevo en lo que sientes por ella. Si sientes cualquier cosa negativa, pediremos a las partes asociadas a esos sentimientos negativos que te dejen conocerla unos minutos. No vamos a ceder a la parte de la que nos ocupamos más poder para tomar el control y conseguir todo lo que quiera; nos limitaremos a intentar conocerla. Para lograrlo, la que está en la sala de espera (o cualquiera de sus aliados que se están dando a conocer) debe extraer tu energía. Puedes tranquilizarla (a la de la sala de espera) diciéndole que ella también pasará un rato contigo; tal vez eso la ayude a tener algo más de paciencia.

Si *puedes* llegar al menos al punto de sentir curiosidad por la que no está en la sala de espera, déjate llevar por la curiosidad y pregúntale qué quiere que sepas sobre su postura. ¿Por qué adopta una postura tan firme sobre este tema? ¿Qué teme que pasaría si la otra tomara el control y ganara la disputa? Al escucharla, no tienes estar de acuerdo o en desacuerdo: limítate a hacer saber a la parte que la respetas, que te importa, que estás con ella y que la escuchas. Comprueba cómo reacciona.

Durante el siguiente minuto aproximadamente, quiero que pidas a la parte con la que has estado hablando que vaya a una sala de espera aparte. Entonces, deja salir a la otra, para poder llegar a conocerla del mismo modo. Y, una vez más, intenta mantener el corazón y la mente abiertos al escuchar a su bando. No es necesario que estés de acuerdo. Sólo quieres comprender de dónde viene, por qué esto la tiene tan exaltada, qué teme que pasaría si ganara el otro bando, etcétera.

Tras haber trabajado un poco con esa segunda parte, pregúntale si estaría dispuesta a hablar directamente con la otra. Tranquilízala diciéndole que estás ahí para ejercer de mediador y para asegurarte de que no se pierden el respeto una a la otra. No pasa nada si la parte no está dispuesta a hacerlo. En tal caso, no darás los siguientes pasos. Ahora bien, si está dispuesta, invita a la otra a acudir y sentarse con vosotros dos.

Ahora tú serás en cierto modo su terapeuta, mientras dialogan entre ellas sobre este tema. Y, al igual que antes, tu labor no consiste en tomar partido, sino simplemente ayudarlas a llegar a conocerse de un modo distinto y asegurarse de que se respeten mutuamente al dialogar. Recuérdales que ambas son una parte de ti, que tienen eso en común. Luego limítate a observar cómo reaccionan al llegar a conocerse de este modo distinto. Observa qué sucede con el dilema.

En algún momento, interrumpe su debate. Hazles saber que puedes reunirte con ellas más a menudo de este modo, y pregúntales si estarían dispuestas a darte su opinión sobre dilemas futuros, pero que luego confiarían en que tú tomes la decisión final. Actuarían más como consejeras tuyas, en vez de tener la responsabilidad de tomar solas decisiones más importantes, como ésta. Comprueba qué tal reaccionan ante esa idea. Como antes, puede ser de ayuda recordarles quién eres (con respecto a la edad, etc.) y quién no eres.

Dedica los siguientes uno o dos minutos a agradecerles a ambas lo que hayan hecho, sea cuánto sea, y no olvides recordarles que vas a intentar regresar. Entonces, empieza a volver a centrarte en el mundo exterior.

Si tus partes han colaborado, es probable que hayas descubierto que en el fondo no se conocían. La razón es que han ocupado roles polarizados con la otra y tenían visiones extremas de quién era la otra. Es lo mismo que vemos que sucede en los conflictos internacionales, así como en el seno de países, empresas, familias y parejas. Cuanto más se radicaliza un bando, más debe radicalizarse el otro bando en la dirección opuesta. Esto se da a todos los niveles de los sistemas humanos, en especial cuando no hay buen liderazgo, y lo mismo sucede con los sistemas internos. La mayoría hemos descuidado nuestros mundos interiores y hemos dejado que esos niños interiores traten de tomar esas grandes decisiones y resolverlo, porque hemos andado atareados por fuera.

Seguramente, con probarlo una vez no basta para detener la disputa, porque lo que está en juego es muchísimo para cada parte, y la idea de relajarse por completo se les antoja un anatema. No obstante, al menos se sienten algo más conectadas a ti y entre ellas. Éste es el nuevo tipo de liderazgo que te invito a probar en el interior. De verdad, es el mismo enfoque que aplico al trabajar con una pareja. Escucho a uno, luego al otro y, al hacerlo, establezco una conexión de manera que ambos confían en mí. Entonces los reúno, me aseguro de que sean respetuosos y los hago hablar de este modo distinto.

REPASO

Hasta ahora te he guiado en cuatro ejercicios distintos destinados a ayudarte a conocer a tus partes o a que ellas te conozcan. Tal vez haya ido como una seda y te sienta bastante bien al respecto, pero no sería nada extraño que no hubieses podido hacer uno o ninguno de los ejercicios, o que sólo pudieras hacerlos a medias. Tiene mucho que ver con el grado de preparación de tus partes para permitirte invadir su mundo de este modo, y hasta qué punto confían en ti y unas en otras para abrir espacio y separarse. Por ejemplo, el que no se aparten no significa que estés fracasando. Quiere decir sencillamente que tardarás más en forjarte su confianza en ti y en ayudarlas a conocerte mejor.

Si has podido hacer los ejercicios, significa simplemente que, por alguna razón, tus partes ya tienen cierto grado de confianza en ti y están dispuestas a abrir espacio. No es así para todos. Por desgracia, algunos hemos tenido muchas experiencias terribles en la vida, pero eso sólo implica que puede que se precise más tiempo para que nuestras partes confíen en que esta clase de diálogo será de utilidad.

Llegados aquí, también puede ser que te sorprendas pasando por experiencias extrañas durante los ejercicios: que te entre un sueño poco habitual, que te descubras pensando en otras cosas que debes hacer o que te entre dolor de cabeza. Nada de ello es inhabitual. Cuando los protectores no están listos, creen que tienen que distraerte o alejarte de algún modo que le dificulte más hacer el ejercicio. No trates de impedírselo. Mi consejo es conocer cuáles son los que se resisten desde este punto de curiosidad: descubre lo que temen y respeta sus miedos.

EJERCICIO: TRABAJAR CON UN PROTECTOR COMPLEJO

Este ejercicio puede resultar complicado, especialmente si no se tiene experiencia trabajando con la IFS. Si es tu caso, limítate a hacer cuanto puedas para llegar a conocer a las partes que están menos preparadas.

Tómate un segundo para ponerte cómodo, en la posición que adoptarías si te dispusieras a meditar. Piensa en una parte de ti que de verdad te importune o se interponga en tu camino, una que te dé mucha vergüenza o una a la que tal vez temas. Concédete un momento para pensar en una. Lo que buscas es más una parte protectora que una auténtica parte vulnerable. Hay quien enseguida se concentra en sus críticos internos para hacer este ejercicio, así que, si te cuesta encontrar uno, ésos suelen ir bien.

Al concentrarte en la parte, fíjate en qué punto del interior o alrededor del cuerpo la encuentras; y al concentrarte en ese punto, fíjate en lo que sientes por esa parte. A raíz de lo que estás buscando, es probable que esa parte te inspire algo de tensión.

Sitúa a esa parte tuya en una estancia aparte de tu interior. Así ayudarás a otras partes a deponer las armas y sentirse algo más a salvo. Que sea una estancia cómoda, pero que ella no pueda abandonar y que tú puedas observar por una ventana. Y deja que todas esas partes que tienen problemas con ella sepan que, mientras dure el ejercicio, esa parte permanecerá encerrada. Por lo tanto, diles que se tranquilicen sólo un poquito para que tú puedas experimentar curiosidad por la que está en la estancia; comprueba si están dispuestas a hacerlo.

Si no están dispuestas a separarse, tampoco pasa nada. Puedes dedicar el resto del tiempo sólo a conocerlas a ellas y sus temores con respecto a esa otra parte o qué problemas tienen con ella. Si logras llegar a sentir curiosidad o cualquier tipo de apertura con respecto a la parte de la estancia, díselo y comprueba qué quiere que tú sepas mientras ella permanece contenida. Mira a ver si puedes comunicarte con ella por la ventana. ¿Qué quiere que sepas tú sobre ella? ¿Qué teme que ocurriría si abandonara su rol?

Si ha respondido a esa pregunta, comprueba si es posible transmitirle algo de reconocimiento por al menos tratar de protegerte y pregúntale qué edad cree que tienes. Si cree que tienes otra edad de la real, ponla al día. A ver cómo reacciona.

Ahora pregúntale a esa parte alguna versión de la pregunta siguiente: «Si pudieras cambiar o sanar lo que estás protegiendo para que ya no supusiera un problema, te liberaran de esta responsabilidad protectora y pudieras hacer otra cosa, ¿qué te gustaría hacer?». Es decir, si la parte se viera totalmente exonerada de su rol, ¿qué otra cosa escogería hacer? Una vez que responda a esa pregunta, averigua qué necesita de ti en el futuro.

A continuación, pasa revista a tus otras partes antes de acabar. Comprueba cómo reaccionan al presenciar esta conversación que has tenido con la parte protectora.

Cuando te parezca oportuno, te invito a acabar aquí el ejercicio, agradeciendo a tus partes cualquier cosa que hayan dejado que ocurriera, haciéndoles saber que ésta no es tu última visita. Respira varias veces profundamente (si te va bien) y devuelve la atención al exterior.

Hace unos años, me invitaron a hacer una breve presentación al Dalai Lama en un congreso llamado Mind & Life Europe. Hablé con él sobre lo que había estado trabajando aquí y entonces le hice una pregunta: «Su santidad, usted nos pide que tengamos compasión con quienes son nuestros enemigos, o por lo menos que pensemos en ellos con compasión. ¿Qué ocurriría si hiciéramos eso también con nuestros enemigos internos?». En eso consiste este ejercicio: en ayudarte a dirigirte a tus enemigos internos. Tener compasión por ellos puede costar de entrada, pero lo ideal es empezar con la mente abierta e intentar de veras conocerlos.

Todas son partes buenas obligadas a desempeñar roles que no les gustan.

No sé si a ti te ha sucedido, pero si perseveras y sigues haciendo preguntas no amenazadoras, esos enemigos internos revelarán sus historias secretas sobre cómo se vieron forzados a adoptar esos roles y qué protegían y cómo, en muchos casos, fueron auténticos héroes. Como Henry Wadsworth Longfellow escribió, «Si pudiésemos leer la historia secreta de nuestros enemigos, deberíamos encontrar en la vida de cada hombre suficiente pena y sufrimiento para abandonar toda hostilidad».[1]

Nos dirigimos a un enemigo interno, escuchamos sus historias secretas e inevitablemente acaba disolviendo toda hostilidad en otras

---

1. Longfellow, Henry Wadsworth (2000). *Poems and Other Writings*, [ed. J. D. Mc- Clatchy]. Library of America.

partes de nosotros a quienes no les caía bien. Eso va muy bien para los enemigos internos. Todas son partes buenas obligadas a desempeñar roles que no les gustan, no se los merecen y ansían abandonar, pero sencillamente no les parece que hacerlo sea seguro del todo. En parte, si no creen que sea seguro es porque no confían en nosotros como líderes. Dirigirnos a ellos de este modo ayuda a generar esa confianza.

Una cosa más: al llevar a cabo esta tarea, puede que te encuentres con que las cosas empiezan a cambiar tanto en tu vida interna como en la externa. Una vez que se adopta este otro paradigma, cuesta ver del mismo modo a las personas, lo que significa que empezamos a relacionarnos con ellas de otro modo. Puede que haya a quien no le vayan bien estos cambios en ti, pero algunas personas sin duda los acogerán con gusto.

CAPÍTULO CUATRO

Más sobre sistemas

Puede que hayas observado que, a medida que avanzamos en el libro, nos enfocamos menos en cada parte individual y más en las relaciones entre ellas. Me siento afortunado por el hecho de que, cuando me encontré por primera vez con las partes en mis clientes, me imbuyeron en lo que se conoce como *pensamiento sistémico*, lo cual me ayudó a escucharlas mejor, en lugar de sentirme desbordado por la complejidad de todo aquello. Podía centrarme en los patrones recurrentes de interacción y encontrarle sentido. Por ejemplo, enseguida vi que, cuando la crítica de una clienta bulímica empezaba a atacarla, activaba a otra parte que se sentía inútil, infantil, sola y vacía. Luego, cuando ésa provocaba que el cliente experimentara sus sentimientos, acudía al rescate el atracón y se la llevaba. Tras el atracón, sin embargo, la crítica regresaba vengativa, y esta vez la embestía por haberse dado un atracón. Aquello, por supuesto, volvía a activar a la joven y mi clienta volvía a estar atrapada en ese círculo terrible.

En este capítulo, voy a abordar algunas ideas básicas sobre el pensamiento sistémico que son aplicables al mundo interno. La información te ayudará enormemente con tu trabajo interior, y me serviré de parte de este material para el resto del libro.

LA EXPANSIÓN DEL PENSAMIENTO SISTÉMICO

El pensamiento sistémico lo desarrollaron originalmente biólogos en Europa en los años veinte. Descubrieron que el método de estudio de la biología celular mediante el descubrimiento de las leyes de la física correspondientes a cada célula —es decir, aplicando el enfoque tradicional mecanicista reduccionista— era inadecuado para comprender cómo se relacionan las células entre sí para formar organismos vivos. Se encontraron con que el comportamiento de la totalidad del sistema no podía comprenderse a partir del estudio de cada parte aislada, esto es, fuera del contexto del sistema entero. De ahí el famoso dicho de que «el todo es mayor que la suma de sus partes».[1]

El pensamiento sistémico enseguida se propagó a otros ámbitos y engendró la ciencia de la ecología (que estudia comunidades de animales y plantas) y la cibernética (que introdujo conceptos como ciclos de retroalimentación, autorregulación y homeostasis). Pasar de estudiar la composición de los objetos aislados a concentrarnos en de qué modo los objetos se hallan incrustados en redes o patrones que pueden esquematizarse no nos resulta fácil, porque nos han educado según paradigmas más mecanicistas y reduccionistas. El dibujo que te pedí que hicieras en el ejercicio «Mapeo de las partes» es un modo de definir un sistema.

Cuando descubrí el pensamiento sistémico en 1976, me maravilló encontrar un enfoque alternativo de la vida que respondía a muchas de las preguntas que tenía sobre los fallos que detectaba en psiquiatría. Leer a Gregory Bateson y otros teóricos sistémicos dio lugar a una epifanía que me llevó a convertirme en terapeuta familiar y, más adelante, a desarrollar la IFS. La gran revelación fue que darle a una persona atribulada un diagnóstico psiquiátrico y ver en éste la única o la principal causa de sus síntomas era innecesariamente limitador, así como patologizador, y podía autopotenciarse.

---

1. Capra, Fritjof y Luisi, Pier Luigi (2014). *The Systems View of Life.* Cambridge University Press.

Cuando se le dice a alguien que está enfermo sin tener en cuenta el contexto más amplio en el que sus síntomas cobran sentido, no sólo se nos escapan puntos de influencia que podrían conducir a la transformación, sino que, además, generamos un paciente pasivo que se siente imperfecto. Por suerte, más profesionales del terreno están empezando a considerar el diagnóstico psiquiátrico inútil y acientífico.[2]

EL CONTEXTO LO ES TODO

El pensamiento sistémico se enfoca en los modos en los que los miembros de un sistema se relacionan entre sí. Al abordar los síntomas desde ese prisma, a menudo nos encontramos con que se trata de manifestaciones de problemas en la estructura (los patrones relacionales) de los sistemas donde la persona está arraigada (familia, barrio, trabajo, país, etc.), así como el sistema que está incrustado en ellas (esto es, su familia interna). Como terapeuta familiar, aprendí que comprender y mejorar la estructura de una familia era un modo mucho más eficaz y duradero de ayudar a un niño a dejar de portarse mal, en vez de limitarse a diagnosticarle y tratarle sin tener en cuenta su contexto familiar.

También descubrí que estas estructuras familiares a menudo se mantenían por medio de creencias o emociones extremas que no necesariamente eran manifiestas, pero que se dejaban sentir constantemente. Por ejemplo, algunas de las familias de los pacientes bulímicos creían que el conflicto era peligroso, y los progenitores se asustaban siempre que aparecía. Era frecuente un desdén general por la dependencia o también la vulnerabilidad, y la convicción de que

---

2. University of Liverpool, *Study Finds Psychiatric Diagnosis to be 'Scientifically Meaningless'*, *Medical Xpress*, 8 de julio de 2019, medicalxpress.com/news/2019-07-psychiatric-diagnosis-scientifically-meaningless.html?fbclid= IwAR07fYCVRQr01 rjrQGn6_dfRCHtELXf2bBeWB-J02t2mXYQRBY5fSs K_8ss.

la familia debía presentar una imagen perfecta al mundo exterior. Sea cual fuera su conjunto de creencias y emociones, se convertía en un paradigma familiar que organizaba los modos en los que los miembros se relacionaban entre sí, mostrando desprecio cuando el paciente estaba dolido, furioso o deseaba atención, por ejemplo.

Los sistemas mayores no son distintos. Normalmente, las estructuras de empresas y países no cambian, a pesar de sus disfunciones y síntomas, a no ser que experimenten un cambio en sus creencias básicas: sus sistemas de funcionamiento paradigmáticos. En los EE. UU., preferiríamos mil veces aplicar retoques cosméticos en la legislación (impuestos, política ambiental y migratoria, etc.) de nuestro barco nacional que se va a pique antes de replantearnos las creencias subyacentes (por ejemplo, el crecimiento ilimitado) que nos dirigen a todos.

VISIONES NEGATIVAS (Y ERRÓNEAS) DE LA NATURALEZA HUMANA

Las creencias más poderosas que rigen una sociedad incluyen las relativas a la naturaleza humana y al modo en el que funciona el mundo. A menudo se sobreentienden y no se discuten, porque se da por hecho que se trata de la realidad: así son las cosas y punto. Como afirma Donella Meadows, «El crecimiento es bueno. La naturaleza es una reserva de recursos que convertir para fines humanos. La evolución se detuvo con la aparición del *Homo sapiens*. Es posible "poseer" tierra. Éstos son algunos de los presupuestos paradigmáticos de nuestra cultura actual, todos los cuales han dejado completamente atónitas a otras culturas, que no los creían obvios en absoluto».[3]

La mayoría de las reglas y objetivos de una sociedad son fruto de sus ideas preconcebidas sobre si las personas son básicamente bue-

---

3. Meadows, Donella (2008). *Thinking in Systems: A Primer*. Chelsea Green, 163.

nas o malas, competitivas o colaborativas, merecedoras de confianza o egoístas; de si están solas o interconectadas; de si no tienen remedio o son redimibles, de si son inferiores o superiores. Todas estas visiones afectan a los miembros de una sociedad determinada.

Seguramente conoces el efecto placebo, pero lo contrario (llamado el *efecto nocebo*) es igual de real y eficaz. Por ejemplo, si creemos que un comprimido de azúcar nos hará enfermar, probablemente enfermaremos. Trasladado a las relaciones humanas, hay pruebas fehacientes de que nuestras expectativas negativas con respecto al prójimo tienen un fuerte efecto negativo en su conducta o desempeño.[4] No es difícil que esto active ciclos de retroalimentación viciosos donde las expectativas negativas se convierten en profecías autocumplidas que refuerzan las opiniones negativas, y así sucesivamente. Éste es uno de los motivos por los que el racismo es tan peligroso.

Tal como hemos comentado en la introducción, la visión de la humanidad que ha dominado el mundo occidental tiende al pesimismo. Con el fin de justificar la esclavitud, los europeos blancos empezaron a diferenciarse de otras culturas menos «civilizadas»; todos podemos lidiar con impulsos primitivos, pero, según ese paradigma, a algunas personas (normalmente más oscuras) no se les daba tan bien controlar sus partes irracionales y salvajes. Esa pretendida teoría consistente en controlar lo primitivo puede aplicarse no sólo a los impulsos, sino también a las personas. Uno de los temas abordados en este libro es que nuestro modo de pensar y relacionarnos con los habitantes de nuestros mundos internos se traduce directamente en lo que pensamos de las personas y en nuestra relación con ellas. Si vivimos asustados y luchamos por controlar determinadas partes de nosotros, haremos lo mismo a las personas que se parecen a esas partes.

La pretendida teoría sugiere que la civilización constituye la capa protectora necesaria para reprimir y ocultar todos nuestros instintos primitivos que constantemente quieren abrirse paso. El historiador

---

4. Bregman, Rutger (2020). *Humankind: A Hopeful History*. Little, Brown.

Rutger Bregman afirma que, a diferencia de lo que sostiene la pretendida teoría, las personas son básicamente buenas. Desacredita la investigación de pensadores destacados como Richard Dawkins, Philip Zimbardo y Stanley Milgram, todos los cuales tenían opiniones extremadamente pesimistas (y de gran influencia) sobre las personas. Cuando Bregman consultó por segunda vez los métodos y datos de sus famosos estudios, encontró suficientes distorsiones y falsificaciones descontroladas para desacreditarlas totalmente.

El argumento de Bregman es que hemos organizado todas nuestras instituciones según esta visión egoísta de las personas y, si nos diéramos cuenta de que no es verdad, todo cambiaría. Una vez que cambiamos de paradigmas y sabemos que, en esencia, todo el mundo es decente y bueno, podemos reorganizar los sistemas económicos, las escuelas y las cárceles. Bregman propone muchos ejemplos de instituciones y programas eficaces basados en la visión positiva de la naturaleza humana: el sistema penitenciario de Noruega, por ejemplo, con el menor índice de reincidencia del mundo. A diferencia de lo que sucede en las prisiones estadounidenses, a los guardas de Noruega se les enseña a trabar amistad con los reclusos y ayudarlos a prepararse para llevar una vida normal. Entretanto, el número de personas encarceladas en los EE. UU. ha crecido más del 500 % desde 1972, hasta el punto de que el país acumula a casi un cuarto de los prisioneros del mundo. Hablando de racismo, cerca del 60 % de estos presidiarios son blancos o latinos.[5]

Está claro que nuestra estrategia del control y la contención basada en la apariencia no funciona. ¿Y si fuera verdad que no hay partes malas, sino sólo partes cargadas ancladas en el pasado que necesitaban que las descargaran en vez de castigarlas? ¿Y si, en esencia, todo el mundo fuera un Self rápidamente accesible? ¿Cómo cambiaría el mundo?

---

5. Bregman. *Humankind*, 344.

POR QUÉ LA VISIÓN NEGATIVA NO FUNCIONA

Entrar en guerra contra cualquier problema social (coaccionar, castigar duramente o humillar, por ejemplo) activa ciclos de retroalimentación que pueden destruir el sistema, porque, con el tiempo, van a más y agotan los recursos del sistema.

Lo mismo sucede en el mundo interno. Ir a la guerra contra las partes protectoras no hace sino volverlas más fuertes. En cambio, escucharlas y quererlas las ayuda a sanar y transformarse. El reto es que estamos dominados —individual y colectivamente— por rígidas partes punitivas que creen que las personas (y sus partes) son básicamente malas y hay que combatirlas. Si creemos que en nuestro interior hay impulsos peligrosos, salvajes o pecadores que constantemente se deben supervisar, controlar y, si es necesario, combatir (la pretendida teoría adoptada para el mundo interno), es normal que veamos así al prójimo, y nuestro enfoque de los problemas sociales conllevará invariablemente tácticas de control y guerra.

Una y otra vez, hemos visto a los dirigentes de un país demonizar a las personas de otra tierra para justificar el conflicto armado contra ellas. Como dice Charles Eisenstein, «Hay tantas luchas, cruzadas, campañas, tantas llamadas a derrotar al enemigo por la fuerza [...]. De ahí que la devastación interna de la psique occidental coincida exactamente con la devastación externa que ha infligido al planeta».[6]

Desarrollé la IFS mientras trabajaba con clientes aquejados de trastornos de la conducta alimentaria. La estrategia más habitual para tratar a esas personas sigue centrada en «derrotar» a su trastorno (con los resultados previstos). Asimismo, nuestra guerra cultural contra las drogas ha sido un absoluto desastre con enormes consecuencias inesperadas en todo el mundo. Necesitamos un nuevo enfoque cuyo eje ya no sea intentar matar al mensajero, sino escuchar

---

6. Eisenstein, Charles (2013). *The More Beautiful World Our Hearts Know Is Possible.* North Atlantic Books, 107.

el mensaje, dejar de estar en lidia con la naturaleza o con la naturaleza humana.

Esta visión —de que las personas tienen una naturaleza pecadora, agresiva, egoísta e impulsiva que debe controlarse con sus mentes racionales (o con la ayuda de Dios)— también conduce a una profunda sensación de desconexión del prójimo y menoscabo de uno mismo. Si todo el mundo va a lo suyo, entonces tú también tienes que hacer lo mismo. Debes protegerte. No tienes que ser demasiado abierto e ingenuo. Debes estar alerta. El problema es que esta estrategia no funciona. Lo único que consigue es hacernos sentir aislamiento, vergüenza y miedo, sentimientos que creemos que debemos ocultar por miedo a que nos rechacen. Cuando crees que eres un alma aparte, egoísta y pecadora rodeada de desgraciados como tú, cuesta no sentirse solo, aun estando acompañado. Cuando estás a solas con tu yo patético, te sientes aún más rechazado e inútil y, en consecuencia, es probable que te aísles aún más.

¿Y si, en cambio, supiéramos que otra parte de nosotros cargaba con nuestra soledad? ¿Y si nos identificáramos con nuestro Self en vez de con nuestros exiliados? ¿Y si viéramos el Self en cuantos nos rodean?

CICLOS DE RETROALIMENTACIÓN

En el capítulo uno hablé de las cargas por legado. Son concretamente cuatro —el racismo, el patriarcado, el individualismo y el materialismo—, y llevan dominando la mentalidad de los Estados Unidos desde que los fundadores las trajeron de Europa. Cada una de estas cargas por legado se conjuga con el resto para generar la sensación generalizada de que todos estamos desconectados, solos y en un peligroso y despiadado mundo. A su vez, ellas crean lo que los teóricos sistémicos denominan *ciclo de retroalimentación reforzador*. La sensación de distancia competitiva (y la creencia de que cualquiera con suficiente fuerza de voluntad puede salir adelante) lleva a las personas a exiliarse y a despreciar a quienes les va peor que a ellos. A su vez, esto genera aún más distancia y temor de no sobrevivir en el sistema, lo que conduce a exiliarse más, y así sucesivamente.

Un ciclo de retroalimentación reforzador común en todo tipo de sistemas se denomina *el triunfo para los triunfadores*. Al aplicarlo a la división de la riqueza de los Estados Unidos, nos encontramos con que quienes tienen más prerrogativas, capital acumulado, información privilegiada y acceso e influencia especiales pueden generar más prerrogativas, capital, acceso e información. En cambio, quienes carecen de esas ventajas pasan a ser exiliados y, como tales, ellos y sus hijos reciben peores formaciones, les cuesta obtener préstamos con tipos de interés razonables, son objeto de prácticas discriminatorias y se los margina por motivos de raza o clase. Además, sus voces raramente llegan a los políticos, que suelen estar más interesados en los miembros influyentes de la sociedad, es decir, los ricos. Por desgracia, como advierte Meadows: «Un sistema con un ciclo de retroalimentación reforzador descontrolado acabará por autodestruirse».[7]

No obstante, hay otro tipo importante de circuito de retroalimentación en todos los sistemas vivos que es preciso para su supervivencia. Los organismos necesitan mantener la homeostasis (condiciones estables) en varios procesos vitales. Para los humanos, entre estos se encuentran la temperatura corporal, la glucemia, los niveles de oxígeno, la presión arterial, etcétera. Cuando cualquiera de esas variables se sale de un margen saludable, se activan los receptores, lo que a su vez pone en marcha un proceso de retroalimentación que vuelve a situar la variable dentro del margen. A diferencia de los circuitos de retroalimentación reforzadores, que generan aumentos de una variable, los que restauran la homeostasis se denominan *circuitos de retroalimentación estabilizadores o equilibradores*. Por ejemplo, si nuestra glucemia aumenta en exceso, se le comunica al páncreas para que produzca más insulina, hasta que nuestra glucemia vuelva al margen saludable.

---

7. Meadows. *Thinking in Systems*, 155.

Si consideramos la Tierra un sistema o un ser vivo —como Gaya—, entonces la pandemia de COVID-19 podría verse como parte de un circuito de retroalimentación estabilizador. Durante el 99 % de la historia de los humanos, la especie humana no ha sido una grave amenaza para la salud del planeta. Empezando con la Revolución Industrial, la población humana mundial —y su capacidad para explotar los recursos del planeta— se ha disparado en los dos últimos siglos. Llevamos desde finales de los ochenta del siglo XIX montados en distintos circuitos desmedidos de retroalimentación reforzadores, y al haber mejorado tangiblemente la vida de la mayoría de la población, nos hemos convencido del mito de la marcha del progreso. Por desgracia, la marcha no ha sido tan positiva para el resto del planeta.

Con nuestras actitudes y conductas que extraen, exilian y desconectan, hemos perdido la capacidad de sentir la Tierra en las entrañas. Nuestros receptores son indiferentes a la respuesta que la Tierra lleva décadas dándonos, al decirnos una y otra vez que no es feliz ni goza de salud. No puede decirse que no nos lo haya comunicado: ha habido múltiples señales. Lo que ocurre es que las esforzadas partes coercitivas que acabaron dominando gran parte de nuestra especie han estado demasiado enfocadas en el beneficio económico y material para prestar atención a esas señales. Dejamos de preocuparnos por la Tierra y la veíamos como una fuente de recursos que utilizar como se nos antojara. Sin embargo, esto tiene sus consecuencias.

Hemos perdido la capacidad de sentir la Tierra en las entrañas.

Lo anterior nos devuelve a la pandemia. Como señala un grupo de expertos en biodiversidad: «La deforestación desmesurada, la expansión incontrolada de la agricultura, la ganadería intensiva, la minería y el desarrollo de infraestructuras, así como la explotación de especies silvestres, han creado una "tormenta perfecta" para la propagación de enfermedades de la fauna entre las personas». Advierten de que se estima que 1,7 millones de virus no identificados que se sabe que contagian a las personas existen en los mamíferos y aves acuáticas. Cualquiera de estos puede ser más perturbador y letal que el de la

COVID-19. Sugieren que el primer paso es que los países reconozcan las complejas interconexiones existentes entre la salud de las personas, los animales, los vegetales y el medioambiente que compartimos. Además, necesitamos apuntalar sistemas sanitarios en los países más vulnerables, donde los recursos están agotados e infrafinanciados.[8] En otras palabras, están pidiendo a los líderes de los países que se vuelvan pensadores sistémicos.

Puede que las crisis climáticas y los virus sean mecanismos de retroalimentación estabilizadores que intervienen siempre que nuestra especie excede el rango homeostático. Esta especulación puede parecer muy fría, y desde luego no pretendo disminuir el increíble grado de sufrimiento y muerte que la pandemia ha provocado en el mundo hasta la fecha. Mi principal intención es abogar por que aprendamos rápido las lecciones de esta crisis, para poder ponerle fin lo antes posible y evitar peores desastres en el futuro.

Si nuestra especie es por fin capaz de captar el mensaje y cambiar de valores y prioridades, tal vez podamos evitar peores respuestas estabilizadoras de la Madre Tierra. Quizá podamos empezar a escucharla y respetarla otra vez. Ahora bien, no podemos hacerlo sin un cambio de paradigma drástico. Nuestro destino no está en nuestras manos; está en nuestras mentes.

TODO ESTÁ CONECTADO

Tal como Eisenstein insistía, debemos dejar atrás la «Historia de Separación» y adoptar la «Historia de Inter-ser».[9] Necesitamos dirigentes que sean pensadores sistémicos y puedan recordar a todo el mundo que estamos todos en el mismo barco.

---

8. Davidson, Jordan. Scientists Warn Worse Pandemics Are on the Way if We Don't Protect Nature, *EcoWatch*, 27 de abril de 2020, ecowatch.com/pandemics-environmental-destruction-2645854694.html?rebelltitem=1#rebelltitem1.

9. Eisenstein. *The More Beautiful World*.

A menudo pido a los clientes que sus partes polarizadas se reúnan para hablarse directamente. La primera pregunta que le indico al cliente que le haga a cada parte es si tienen algo en común. Ambas se sorprenden frecuentemente al saber que comparten el deseo de mantener a salvo a la persona, pero sus ideas sobre cómo hacerlo son totalmente distintas. Al darse cuenta de que están interconectadas, se comprometen a trabajar juntas mejor en pro del bienestar del sistema mayor (el cliente) que ambas habitan. Asimismo, ayudar a los demás —en familias, empresas, países e internacionalmente— a descubrir su conexión trae a escena al Self en todos esos niveles, y el Self siempre aporta sanación. Meadows nos recuerda que todos estamos interconectados. «No hay ninguna parte de la raza humana que esté separada de otros seres humanos o del ecosistema global».[10]

Necesitamos dirigentes que sean pensadores sistémicos y puedan recordar a todo el mundo que estamos todos en el mismo barco.

Si el clima del planeta se viene abajo, todo el mundo sufrirá, incluso los ricos. Si los trabajadores de una empresa están sobreestresados, la empresa quebrará y los propietarios se arruinarán. Si el cerebro nos domina y descuidamos el resto del cuerpo, enfermaremos y el cerebro se hundirá con el barco. Tener una población pobre muy numerosa o bien agota la mayoría de recursos de un país o bien genera violentas revueltas sociales. Si exiliamos a nuestras partes vulnerables, nos destruirán.

EL CAMBIO

En la actualidad, nos consideramos a nosotros mismos y a nuestros iguales humanos fundamentalmente egoístas e imperfectos, lo que desemboca en sistemas implacables económicos y sociales despiadados. Y al atajar los problemas fuera de contexto (es decir, no sisté-

---

10. Meadows. *Thinking in Systems*, 184.

micamente), las soluciones que probamos para esos problemas suelen empeorar las cosas: concretamente, dañan el planeta y generan grandes masas de exiliados. El exilio es tóxico para cualquier sistema. Nos rompe la conexión mutua, con nuestros propios organismos, con la Tierra y con lo divino.

Nuestro mundo interior también está contaminado por este paradigma. Nuestro tesoro de partes acaba reflejando el sistema externo, con montones de exiliados, montones de protectores que los desprecian y con nuestras cargas como principio organizador fundamental de nuestro sistema interno, en lugar de nuestro Self. Sin lugar a dudas, este modo de convivir con nosotros mismos y el mundo no es sostenible. Éste es el paradigma alternativo que propongo:

Dentro de cada uno de nosotros hay una esencia sabia y compasiva de bondad que sabe cómo relacionarse armoniosamente. Además, no somos una mente desquiciada, sino un sistema interno de partes. En efecto, esas partes a veces pueden ser perturbadoras o dañinas, pero en cuanto se descargan regresan a su bondad esencial. Y al ser esto cierto, todos tenemos un sendero claro por delante para acceder a nuestra vida —interna y externa— y manejarla desde esa esencia. Al hacerlo, descubrimos la verdad básica de la interconexión en todos los niveles, y el resultado natural de ese descubrimiento es la compasión y la actuación valerosa.

Puede parecer mucho, pero la verdad es que llevar a cabo este cambio de paradigma no exige grandes sacrificios ni sufrimiento. Puede doler recuperar partes de uno mismo que dejamos atrás, pero el esfuerzo compensa con creces. Aquí tienes sólo un adelanto de lo que vas a conseguir: más amor por ti y los demás, más acceso a tu alegría y deleite internos (así como a tu tristeza y pena profundas), y hábitos y actividades más importantes, sintiendo un proyecto enriquecedor.

EJERCICIO: MEDITACIÓN IFS DIARIA

Ésta es una meditación que otros profesionales de la IFS y yo empleamos para fomentar este cambio de paradigma en nuestro interior. Te animo a practicarla en alguna versión en tu propio día a día.

Para empezar, tómate un momento para ponerte cómodo. Si te ayuda viajar a tu interior y respirar profundamente varias veces, adelante, hazlo. Si has probado los ejercicios anteriores del libro, esperemos que a estas alturas ya estés empezando a conocer a algunas de tus partes. Te voy a proponer que primero te concentres en las que estás conociendo. Y el único y verdadero propósito de concentrarse en ellas es hacer un seguimiento y ver si hay algo que necesiten, si desean que sepas más cosas. Con todo ello se pretende forjar una relación continua con tus partes, para que se sientan más conectadas contigo, menos aisladas y solas.

En algún momento, recuérdales que estás ahí con ellas, que te importan, y cuéntales algo más sobre quién eres, porque, aunque trabajes con las partes, a menudo se olvidan de esas cosas hasta haberse descargado. Y nada pierdes simplemente con recordarles que ya no están solas, que tú ya no es una criatura y que puedes cuidar de ellas tal como lo necesiten.

El objetivo es tomarte a tus partes tan en serio como te tomas a tus hijos de carne y hueso, si los tienes. Lo bueno es que tus partes no necesitan ni de lejos tanto mantenimiento ni cuidado como los de carne y hueso: a menudo les basta con saber de esta conexión que estáis forjando, sólo con que se las recuerde.

Más tarde, en algún momento puedes ir más allá e invitar a otras partes que necesiten ayuda a acudir a ti. De modos distintos, partes distintas aparecerán. Dedícate a conocerlas y a saber lo que necesitan de ti, y también hazles saber quién eres y que ya no están solas.

Y la siguiente parte es opcional en cada meditación: si lo deseas, puede volver a cada una de esas partes y sugerirles que se relajen en el interior, en el espacio abierto, unos minutos, y pedirles que confíen en que dejar que te adentres más en tu cuerpo no entraña riesgos. Su energía suele dificultarle encarnarse cuando se activan. Y si están dispuestas a dejarte adentrarte más, percibirás un cambio siempre que se relajen: notarás más espacio en la mente y el cuerpo. Recuérdales que son sólo unos minutos, que no es más que un experimento para ver qué sucede si te dejan quedarte ahí más rato. No tienen por qué hacerlo si no lo desean, en cuyo caso puedes continuar conociéndolas. Si están dispuestas a hacerlo, sin embargo, fíjate en las cualidades de este aumento de holgura y encarnación. Observa qué se siente al estar más presente en su cuerpo con mucho espacio.

Quizá notes un cambio en la respiración o en la capacidad de estar presente. Puede que se te relajen los músculos y experimentes una sensación de bienestar, como si todo fuera bien. Y, como he dicho antes, también podrías percibir una especie de energía recorriéndote el cuerpo que te provoque un leve temblor o un hormigueo en las extremidades. Yo soy muy auditivo, por lo que también noto que me cambia el tono de voz cuando me hallo en este estado. Asimismo, disfruto de la paz que conlleva la ausencia de una agenda apremiante.

Si a tus partes les cuesta mucho relajarse, es sólo que en algún momento necesitan más de ese tipo de atención. Hazles saber que estás al corriente, que no hay ninguna prisa por que hagan nada. Cuando te parezca oportuno, puedes empezar a devolver la atención al exterior, agradecer a tus partes lo que te hayan hecho saber y recordarles que harás de nuevo este ejercicio en el futuro. Respira varias veces profundamente si eso te ayuda a salir.

Según va transcurriendo mi jornada, a menudo me detengo y observo hasta qué punto me hallo en este estado. Cuando no es así, es que alguna parte ha tomado el control o es por lo menos más activa, y puedo encontrar enseguida a esa parte y recordarle que puede confiar en mí sin peligro, que puede relajarse un poco y abrir más espacio. Me ha llevado un tiempo, pero ahora, casi en todas las situaciones, mis partes lo hacen bastante a gusto y puedo notar otra vez la energía y la holgura, así como relacionarme con los demás desde ese punto.

Esto se convierte en una práctica diaria. Además de notar a las partes y ayudarlas a confiar en que abrir espacio no entraña riesgos, suele ser necesario trabajar con ellas activamente y practicar algo de sanación, porque, mientras nuestro sistema sea vulnerable, les costará confiar en nosotros. Así que, junto a esta meditación, otros profesionales de la IFS y yo llevamos a cabo sesiones dedicadas a descargar a las partes.

CAPÍTULO CINCO

Definir nuestros sistemas internos

Ahora que ya tienes varios ejercicios en tu haber y que sabes más sobre los sistemas y el cambio de paradigma que aquí perseguimos, quiero abordar algunos de los modos en los que se organizan las partes para relacionarse mutuamente en el interior. Ya he presentado la distinción principal entre exiliados y protectores. Veamos un poco más cómo son esas partes.

LOS EXILIADOS

Empecemos con los exiliados. Los exiliados suelen ser los más pequeños, frecuentemente denominados niños interiores en nuestra cultura. Antes de que seamos heridos, son nuestras partes encantadoras, juguetonas, creativas, confiadas, inocentes y abiertas que nos encanta tener cerca. Son también las partes más sensibles, así que cuando alguien nos hiere, traiciona, humilla o asusta, son las que se quedan con más creencias y emociones extremas (cargas) derivadas de esos episodios.

Tras el trauma o la herida del apego, las cargas que esas partes absorben las transforman: pasan de sus estados de diversión y juego a ser unos niños crónicamente heridos que están anclados en el pasado y son capaces de apabullarnos y empujarnos de vuelta a esas terribles escenas. Pasan de sentir «Me quieren» a «No sirvo para nada» y «Nadie me quiere»; y, al mezclarse con nosotros, esa creencia pasa a ser nuestro paradigma y sentimos todas las emociones que llevan a cuestas. Resulta insoportable volver a vivir esas emociones y creer esas cosas y, con frecuencia, esas cargas alteran nuestra capacidad de desenvolvernos en el mundo. He tenido clientes que, cuando sus exiliados tomaban el control, eran incapaces de salir de la cama en una semana.

Por eso hacemos lo posible para encerrar a esas partes, creyendo que nos estamos limitando a dejar atrás malos recuerdos, sensaciones y emociones..., sin darnos cuenta de que estamos desconectando de nuestros más preciados recursos, sólo porque están heridos.

Esas cargas alteran nuestra capacidad de desenvolvernos en el mundo.

La razón es que estamos embebidos del paradigma monumental que no admite la idea de que las partes dañadas pueden sanarse, por no hablar de nuestro acentuado individualismo estadounidense, según el cual, si te haces daño, lo mejor que puedes hacer es levantarte y seguir adelante.

En efecto, es como si cuando estás herido, quienes te rodean te dieran alguna versión de este mensaje: «Supéralo y ya está», por ejemplo, o «Deja de ser tan sensible». Para esas partes jóvenes, lo único que se consigue con ello es añadir una ofensa a la herida. La herida la provocó lo que sucedió y van y las ofenden abandonándolas y encarcelándolas. Como resultado, suelen buscar atención con bastante desespero y harán cuanto puedan para abandonar el exilio a la menor oportunidad: cuando estemos cansados, cuando no obtengamos los elogios que mantienen a esas partes tranquilas o cuando nos dañan o humillan de un modo similar al del episodio original.

Esta tragedia es del todo innecesaria. A esos niños interiores encantadores les hacen daño y luego los abandonan, y ya no podemos acceder a sus maravillosas cualidades. Lo que hacemos es asumir que parte del convertirse en adulto consiste en dejar de sentir alegría, asombro y amor con intensidad.

Incluso cuando están exiliados, sus cargas pueden tener un efecto inconsciente en nuestra autoestima, elección de pareja, profesión, etcétera. Están detrás de las reacciones exageradas que nos parecen misteriosas y nos dejan perplejos preguntándonos por qué ciertas pequeñas cosas nos afectan tanto.

Cuesta mucho crecer en los Estados Unidos sin acumular varios exiliados. De pequeño, casi con toda seguridad nuestra familia o los chiquillos de nuestra edad nos hicieron daño, humillaron o aterraron en múltiples ocasiones, y pretendían, con total frialdad, que siguiéramos adelante sin más. Los supervivientes de maltratos tienen un gran número de exiliados.

Además de nuestras partes vulnerables que sufren daño y entonces se exilian, hay otras partes alegres y protectoras que no encajan en nuestras familias, o tal vez asustan a quienes nos rodean. Éstas pasan a ser lo que yo denomino *protectores en el exilio.* Robert Bly escribe de modo elocuente sobre estas partes:

> Un niño corriendo es un globo de energía viviente. Teníamos un montón de energía, es verdad; sin embargo, un día nos percatamos de que a nuestros padres no les gustaban ciertas partes de ese montón. Decían cosas del estilo: «¿Puedes estarte quieto?» o «No está bien intentar matar a tu hermano». Tenemos por detrás una bolsa invisible, y esa parte de nosotros que a nuestros padres no les gusta la metemos en la bolsa para conservar el amor de nuestros padres. Para cuando empezamos a ir a la escuela, nuestra bolsa es bastante grande. Entonces los maestros opinan: «Los niños buenos no se enfadan por tan poca cosa». Así que cogemos nuestra ira y la metemos en la bolsa. Cuando mi hermano y yo teníamos doce años, en Madison, Minnesota, nos conocían como los «los chicos majos de los Bly». Nuestras bolsas ya medían más de un kilómetro de largas [...]. Cuando metemos una parte de nosotros en la bolsa, retrocede. Involuciona hacia la barbarie. Imagina que un joven cierra una bolsa a los veinte y luego espera quince o veinte años a volver a abrirla. ¿Qué encontrará? Por desgracia, la sexualidad, el salvajismo, la impulsivi-

dad, la ira, la libertad que metió en la bolsa han vuelto atrás; no sólo su estado de ánimo es primitivo; se muestran hostiles ante la persona que abre la bolsa. El hombre que abre su bolsa a los cuarenta y cinco o la mujer que abre su bolsa sienten miedo con razón. Ella levanta la mirada y ve la sombra de un simio pasar por la bocacalle; cualquiera que viera aquello se asustaría. Todas las partes de nuestra personalidad que no amemos se volverán hostiles contra nosotros.[1]

Estos exiliados son lo que Freud, como es sabido, denominaba el *id*, y dio por hecho equivocadamente que no eran más que impulsos primitivos. Como he señalado antes, esa interpretación negativa no hizo más que contribuir a la opinión desfavorable de la cultura occidental con respecto a la naturaleza humana. Y tuvo una gran influencia en el desinterés de la psicoterapia por llegar a conocer esas partes de nosotros.

Una vez que acumulamos un montón de exiliados, nos sentimos mucho más frágiles y el mundo parece más peligroso, porque hay muchas cosas, gente y situaciones que podrían activarlos. Y cuando un exiliado se activa y sale despedido del contenedor donde sea que lo guardamos, podemos tener la sensación de estar a punto de morir, porque así de amedrentador o humillante fue exactamente cuando el episodio originador tuvo lugar. O tal vez, como apunta Bly, estamos aterrados porque los exiliados se han vuelto muy extremos. Más adelante retomaré este tema, pero por lo pronto sólo quiero apuntar que, en cuanto a preferencias espirituales se refiere, es probable que la sensación de inutilidad de nuestros exiliados nos dirija inconscientemente hacia espiritualidades o gurús que prometen la redención o la salvación. Asimismo, debido a su miedo y dolor, podemos inclinarnos por tipos de culto cuyo eje es un gurú o algún concepto de Dios todopoderoso.

---

1. Bly, Robert (1988). *A Little Book on the Human Shadow*. [Ed. William Booth]. Harper Collins.

LOS DIRECTIVOS

Cuando tenemos un gran número de exiliados, otras partes de nosotros deberán abandonar sus valiosos roles y convertirse en protectores. Es como si a nuestras partes adolescentes las presionaran para ser militares o policías. Algunas de ellas asumen el rol de controlar el mundo exterior, para que no surja ningún detonador; gestionan nuestras relaciones, aspecto y desempeño, a menudo gritándonos igual que nuestros padres, madres y docentes hicieron una vez para que nos esforzáramos más o tuviéramos mejor aspecto. Éstas son las partes que se convierten en críticos internos. Otras partes adoptan otra estrategia e intentan cuidar de todos los demás descuidándonos a nosotros. Otras están hipervigilantes, y las hay que son racionales y saben mantenernos fuera de nuestro cuerpo. Hay muchos roles comunes que estas partes directivas adoptan. En lo que coinciden es en el deseo de prevenir la activación de nuestros exiliados, controlándonos, complaciéndonos o desconectándonos.

Los directivos son niños interiores parentalizados.

Los directivos son, pues, una clase de protectores. Estas partes llevan a cuestas pesadas cargas de responsabilidad para las que están mal preparados, porque ellas también son jóvenes. En terapia familiar, llamamos niños parentalizados a los chiquillos que asumen estas obligaciones de los adultos.

Los directivos son niños interiores parentalizados. Suelen estar muy cansados y estresados. Tratan de que el mundo no deje de ser un lugar seguro para nuestros exiliados, al tiempo que mantienen a éstos a raya. También tienen la capacidad de entumecernos el cuerpo, para que no sintamos mucho, porque, si no sentimos, entonces no nos activamos. Los directivos están constantemente trabajando; los hay que nunca duermen.

Otros directivos no quieren que nos sintamos bien con nosotros mismos, por miedo a que nos arriesguemos y salgamos malparados. Nos protegen destrozándonos. Son las partes del autoodio, que sabotearán cualquier cosa que pueda hacernos sentir bien. Tal vez nos dejen probar la meditación u otras prácticas espirituales, pero normalmente sólo para reducir el estrés, no para estar en contacto con lo no-dual. Si la práctica les ayuda a retener a los exiliados (como si se tratara de un baipás espiritual directivo), están totalmente a favor. Sobre todo, lo que pretenden es mantenernos pequeños, porque como se está más seguro es pasando desapercibido.

En general, a los directivos no les gusta nada que nos deje fuera de su control y, como he dicho arriba, los hay a quienes no les gusta nada que nos haga abrir los corazones y sentirnos seguros o bien con nosotros mismos. Por otro lado, están los directivos que quieren integrarse y complacer a todo el mundo. Ésas son las partes que nos hacen ir a menudo a la iglesia, por ejemplo, pero no les interesa para nada experimentar lo divino.

LOS BOMBEROS

Los bomberos son otro tipo de protectores completamente distinto. Por mucho que se esfuercen los directivos para prevenirlo, el mundo tiene el don de activar de vez en cuando a nuestros exiliados, de cruzar lo que la psicoterapia tradicionalmente denomina nuestras defensas. Cuando eso ocurre, se trata de una gran emergencia. Para muchos de nuestros protectores, pasar por el dolor de los exiliados es como si fueran a morir. Por consiguiente, la mayoría tenemos un conjunto de partes cuya tarea consiste en lidiar con esas emergencias, partes que inmediatamente entrarán en acción para extinguir ese incendio interno, las llamas de la emoción estallando desde el lugar exiliado.

A diferencia de los directivos, que intentan impedir cualquier cosa que vaya a activar a los exiliados, estas partes bomberas se ponen en marcha cuando se ha provocado a un exiliado y desesperadamente (y a menudo impulsivamente) tratan de apagar las llamas de la emoción, hacernos viajar más allá de las llamas por medio de alguna sustancia o encontrar un modo de distraernos hasta que el fuego se extinga solo.

Según cuánto temamos a nuestros exiliados, los bomberos recurrirán a medidas desesperadas sin apenas reparar en los daños colaterales para nuestra salud o nuestras relaciones. ¡Sólo saben que deben alejarnos de estos sentimientos ahora mismo o se van a enterar! A veces, el que teman nuestra muerte está justificado, porque el suicidio es una opción para algunos bomberos si otras soluciones no funcionan. En el capítulo uno he aludido a la evitación de la espiritualidad. Muchas personas acuden a meditación para huir de lo que sienten, y en las colectividades a las que trato me encuentro con un uso indiscriminado de las prácticas espirituales para trascender a los exiliados propios. Nuestros bomberos nos volverán adictos a la práctica, en parte porque para ellos es una solución estupenda. Nosotros nos sentimos bien mientras lo hacemos y, a diferencia de otras adicciones disponibles, nadie se enfada con nosotros por hacerlo, ni siquiera nuestros propios directivos. De hecho, la gente admira o envidia nuestra disciplina y nos considera piadosos. A diferencia de los directivos, a los bomberos les encanta adentrarse en dimensiones superiores y perder el control: cuanto más lejos de nuestro dolor, mejor. En esas dimensiones superiores, podemos acceder a un montón de auténtico Self, lo que sienta de maravilla, aunque no sane nada y pueda hacer a los exiliados sentirse aún más abandonados.

En las colectividades a las que trato me encuentro con un uso indiscriminado de las prácticas espirituales para trascender a los exiliados propios.

Mientras que los exiliados a menudo persiguen desesperadamente la redención, los bomberos son como niñeras de esas partes más jóvenes: niñeras incapaces de conseguir que los niños dejen de llorar o de inundarnos el sistema con oleadas de ansiedad o vergüenza. De ahí que los bomberos busquen desesperadamente a alguien que haga sentir mejor a los exiliados, y a menudo se conviertan en cazatalentos que van tras esa persona o práctica especial. Nos transforman en buscadores que vamos de una meditación o líder espiritual a otro, buscando al que pueda hacer sentir mejor permanentemente a esos exiliados. O, si encuentran a uno que parece cumplir los requisitos, pasan a ser sus fervientes defensores y seguidores. Muchos acuden a las tradiciones espirituales con montones de exiliados debido al intenso trauma de su biografía, en busca de alivio. Por desgracia, muchas espiritualidades no saben qué hacer con los traumas de las personas, aparte de ayudarlas a ignorarlos.

Una última cosa sobre los bomberos. Para vivir en esta cultura y no ver el sufrimiento de nuestros exiliados ni sentir las atrocidades que le estamos haciendo a la Tierra, necesitamos distracciones. Se nos proporciona un sinnúmero de actividades de bombero para ayudarnos a anestesiar el dolor de esta herida moral. Recuerda: el Self ve, siente y actúa para alterar las injusticias, así que para no hacer nada de ello necesitamos drogas ilegales o medicamentos con receta, entretenimiento mediático siempre disponible, trabajos absorbentes y desviaciones espirituales.

No pretendo autoerigirme en modelo de liderazgo del Self en este sentido. Dedico más tiempo a ver Netflix y a los Boston Celtics que a protestar en las calles. Me consuelo por el hecho de que promulgar la IFS es hacer algo importante, pero sigo necesitando a mis bomberos para que me impidan absorber del todo lo que está ocurriendo en el mundo y dedicar todo mi tiempo y energía al activismo.

Llegados aquí, quisiera reiterar que estas categorías —exiliados, directivos y bomberos— no describen la esencia de nuestras partes. No son más que los roles que lo que nos pasó impuso a esas partes.

Volviendo a las ideas sistémicas de reforzar y estabilizar la retroalimentación y la homeostasis, los directivos suelen ser los mecanismos homeostáticos de nuestro sistema. Siempre que nuestro comportamiento o experiencia interna se desvíe de lo que ellos consideran exento de riesgos para nosotros, actúan para hacernos regresar. Por ejemplo, si muchas de nuestras partes arrastran la carga de que el mundo es muy peligroso y es mejor permanecer invisible, cuando empecemos a sentirnos bien con nosotros mismos nuestro crítico nos despedazará por miedo a que empecemos a correr riesgos. Si eludimos al crítico, entonces otros directivos salen a escena: puede que disociemos o nos durmamos. Muchos aspirantes a meditadores que se sienten fracasados porque les cuesta llevar a cabo la práctica resulta que llevan consigo esa carga. Las partes no les dejan meditar porque no les parece que abrir el corazón sea buena idea.

En este ejemplo, la variable que nuestros directivos mantienen en un rango homeostático es nuestra autoestima. En otras personas, puede tratarse de la ira, la tristeza, la euforia o la dependencia. Y en otras, son conductas como el movimiento o el habla espontáneos, la asertividad o la vulnerabilidad. Todos tenemos cargas dedicadas a mantenernos a salvo y homeostáticos. Difieren en el tipo de actividades de retroalimentación que emplean, pero no en sus intenciones.

En algunos sentidos, los bomberos generalmente parecen ser parte de ciclos de retroalimentación reforzadora, puesto que sus actividades a menudo nos alejan del rango cómodo y homeostático de nuestros directivos. Entonces esos directivos harán cuanto puedan para traernos de vuelta. La verdad es que muchas veces el ciclo reforzador se da entre bomberos y directivos: los directivos más duros tratan de controlar a los primeros cuanto más fuertes se vuelven los bomberos, lo que en algunos casos puede ir aumentando de intensidad hasta nuestra muerte. Ahora bien, el propio comportamiento del bombero suele ser homeostático, en el sentido de que su propósito original era reprimir o distraer de los sentimientos exiliados hasta que recobraran un nivel tolerable.

Todos tenemos cargas dedicadas a mantenernos a salvo y homeostáticos.

La activación de los exiliados frecuentemente pone en marcha ciclos de retroalimentación reforzadores, porque los intentos de suprimirlos, ya sea de los directivos o de los bomberos, los conducirán a intentar con más ahínco rompernos u obtener nuestra atención. Lo que empieza como una leve cefalea acaba siendo una fuerte migraña, por ejemplo, cuando nuestros directivos nos convencen de ignorar el primer intento del exiliado de captar nuestra atención.

La cuestión es que pensar sistémicamente y seguir las secuencias internas de las actividades de las partes que rodean los problemas nos evita cometer el error de, por ejemplo, confabularnos con los directivos para reprimir más a los bomberos o exiliados: tomar una aspirina en vez de escuchar internamente el dolor de los exiliados. O ni nosotros ni nuestro terapeuta reaccionaremos exageradamente si, después de escuchar y sentir el dolor exiliado, al día siguiente sentimos deseos de suicidarnos o queremos emborracharnos. En su lugar, nosotros y nuestro terapeuta confían en que la labor del exiliado debe de haber activado a un bombero de quien no obtuvo permiso, que ahora está asustado y se limita a actuar de modo homeostático. Una vez más, los sistemas internos traumatizados son ecosistemas delicados. Al igual que sucede con los ecosistemas externos, los cambios en un aspecto pueden tener consecuencias imprevistas. Esto es mucho menos probable, sin embargo, si pensamos en términos de sistemas; entonces las consecuencias pueden a menudo preverse y evitarse o atajarse desde el Self.

Naturalmente, este mapa no sólo es aplicable a los sistemas internos. Se ha usado con resultados eficaces para comprender y trabajar con familias y empresas, y soy de la opinión de que es aplicable a los sistemas humanos de cualquier nivel. Los sistemas de partes y personas tienden a polarizarse, forjar alianzas protectoras y excluir o desvincularse unos de otros siempre que están traumatizados y carentes de un liderazgo eficaz.

Los ejercicios de este libro pretenden principalmente ayudarte a conocer y a valorar a tus protectores. Puede ser algo complicado abrirnos a nuestros exiliados nosotros solos. Si empezamos a sentirnos abrumados de sentimiento exiliado, es importante cambiar de ejercicio. En la mayoría de los casos, va bien saber quiénes son algunos de nuestros exiliados, pero no te estamos proponiendo que te acerques a ellos e intente ayudarlos, porque casi todo el mundo, incluido yo, necesita a alguien para hacerlo; lo ideal es que sea un terapeuta de IFS (ver el directorio en ifs-institute.com) o por lo menos alguien que pueda permanecer en el Self cuando a nosotros nos sobrepasan las emociones.

Descubrí hace muchos años la importancia de respetar a los protectores y su derecho a proteger el sistema y que no los aparten. Los sistemas internos cargados son entornos sensibles y debemos aproximarnos a ellos y visitarlos en consecuencia. Nuestros protectores llevan toda una vida tratando de mantenernos a nosotros (y al resto de la gente) alejados de nuestros exiliados, así que primero hay que consultarlos y convencerlos de que hay una buena razón para dejarnos pasar. No nos dirigimos a los exiliados sin el permiso de los protectores. Como pronto veremos con Mona, algunos clientes tenían graves reacciones negativas (impulsos suicidas, dolor físico o fiebre, episodios de autoodio o desconfianza de mí) cuando los protectores los castigaban por nuestra transgresión. Por eso hemos aprendido a ser huéspedes ecológicamente sensibles en los ecosistemas de nuestros clientes.

Lo aprendí por las malas en los albores del desarrollo de la IFS. Cuando los clientes contaban que tenían partes que sufrían un dolor o un pánico intensos, parecía que ésas fueran las que había que sanar, así que orientaba a los clientes hacia ellas en cuanto podía y, cuando lográbamos llegar a ellas, sin saberlo estábamos eludiendo a sus protectores.

No nos dirigimos a los exiliados sin el permiso de los protectores.

Ésa es una de las razones de que despliegue este mapa ahora, para que, al continuar con los ejercicios, no pierdas de vista dónde estamos y hacia dónde vamos. Se trata de nuevo de un mapa de lo más sencillo: exiliados, directivos, bomberos. La única otra categoría que puedes encontrar en tu interior son los protectores en el exilio que he mencionado antes. Se trata de partes que no son jóvenes y vulnerables. Lo que son a menudo es bomberos impulsivos a los que los directivos encerraron porque hicieron daño a alguien o tienen ese potencial. O porque crecimos con unos padres o en una cultura que nos humillaba por tener esas partes. Es frecuente que esas partes nos inspiren mucho miedo o tengamos visiones distorsionadas de ellas, hasta que empezamos a escucharlas y concluimos que no se diferencian en nada de los otros protectores. También necesitan nuestra ayuda.

Una vez más, quisiera recordarte que las categorías que describo en este mapa no captan la esencia de nuestras partes en sí. Se trata únicamente de los roles que se confiaron a nuestras partes debido a lo que sucedió en nuestra infancia. Los alimentan las cargas que arrastran y que los mantienen anclados en el pasado. Al recuperarlas, rescatarlas y liberarlas de esos roles, esas partes se transforman en algo muy distinto y siempre valioso. Suele costar predecir en qué se convertirán. Un directivo tal vez prefiera tumbarse en la playa y ya está. Y un bombero puede querer usar su energía para algo saludable e imaginativo en vez de emborracharnos.

Sesión dos: Mona

Hace poco me pidieron una sesión de consulta para un terapeuta de IFS cuya clienta, Mona, había tenido un brote psicótico cuatro años antes y estaba interesada en estudiar las partes que pudiesen haberse visto involucradas en aquello, pero también le daba bastante miedo. Mona me contó que durante aquel episodio la habían ingresado, le habían dado antipsicóticos y le habían diagnosticado trastorno bipolar. Luego había rehecho su vida, pero seguía medicándose por miedo a una recaída, y quería saber si la IFS podía ayudarla a comprender qué había pasado y confiar en que no se repetiría.

Con su terapeuta (Bob) acompañándola en una videollamada por Zoom, pido a Mona que se concentre en la parte maníaca y se la localice en el cuerpo. La ubica en el pecho y se ve a sí misma en la planta de psicología, sintiéndose atrapada y desesperada. Pregunto qué le inspira esa mujer más joven y responde que le da pena y quiere abrazarla ahí mismo. Le digo que adelante, y así lo hace; de pronto, sin embargo, abandona la escena y dice que tiene sueño. Le pido que hable directamente con la parte que se la está llevando con el sueño y le pregunto por qué le da miedo dejarla quedarse con esa parte en el hospital. Contesta que teme que esa parte maníaca vuelva a tomar el control y Mona acabe de nuevo en aquel lugar. Le digo que es lógico, pero que yo sé cómo impedir que esa parte tome el control y que, en su lugar, la ayudaremos a no tener que ocupar ese rol maníaco. La parte disociativa soñolienta se desvanece, y Mona vuelve a abrazar a la mujer del hospital.

De repente, ve un abismo gigantesco y se asusta. Le pido que deje a las partes asustadas en la sala de espera y le aseguro que su terapeuta y yo estaremos con ella si quiere meterse en ese agujero negro. Ahora siente curiosidad y quiere entrar con nosotros. Lo hacemos y Mona ve una mano tendida desde la oscuridad. Toma la mano, salimos del agujero y descubrimos que la mano pertenece a una niña de cuatro años. Mona abraza a la niña y espontáneamente le pide perdón por haberla echado al abismo. Le indico que pregunte a la niña qué le ocurrió en el pasado. Un protector entra de pronto en escena para afirmar que fue culpa de la niña.

Hablo directamente con el protector y le pregunto de dónde ha sacado esa idea. Dice que sus padres siempre hacían hincapié en que ella y sus hermanas eran las responsables de lo que dejaran que los chicos les hicieran. Le digo a la parte que es comprensible que se creyera lo que decían los padres y quisiera protegerlas, pero que debemos ayudar a la niña de cuatro años a descargar todos sus sentimientos y no creeremos automáticamente lo que muestra de lo que ocurrió: nos limitaremos a sanarla.

De pronto, Mona ve a la niña, desnuda y en el exterior, y no tiene claro cómo ha llegado hasta allí. Le digo que se lo pregunte a la niña. «Había un adolescente que vino a vivir con mi familia. Dice que él le hizo algo, pero no sabe el qué, porque se fue —disoció—, se quedó dormida». Yo contesto: «Sí, esa misma parte disociadora durmiente la protegió en ese momento igual que intenta hacerlo hoy. Hay que recordarlo para darle las gracias por salvarte». Indico a Mona que se adentre en la escena y esté con la niña del modo en el que ésta lo necesitaba en ese momento. Así lo hace, le pone algo de ropa a la niña y la saca de la escena. La trae al presente y la ayuda a descargar la vergüenza y el espanto que lleva cargando desde entonces.

Ahora la chiquilla está muy contenta y quiere jugar. Indico a Mona que traiga a la mujer maníaca del hospital para que vea que la pequeña está bien, y la mujer se quita la bata hospitalaria y descarga los sentimientos maníacos. Mona añade: «Creo que cuando padecía psicosis, partes de mi cerebro captaban algo de esto, pero era demasiado». Acabamos la sesión con deberes para Mona: debe pasar revista a estas partes a diario, al menos durante un mes. Asegura sentirse más ligera y aliviada.

No obstante, horas después recibo una llamada aterrada de su terapeuta, diciendo que Mona tiene pensamientos suicidas. Me pide que vuelva a hablar con ella.

DICK: ¿Qué ocurre?

MONA: Conducía de camino a casa y sentí muchas ganas de suicidarme. Hay una parte que está enfadada conmigo y quiere matarme.

D: De acuerdo, vamos a trabajarlo. Déjeme hablar con ella, a ver qué quiere que sepamos. ¿Estás ahí?

M: ¡Mona es una zorra idiota de mierda! ¡Cuánto la odio! ¡Quiero su muerte! ¡Quiero herirla y pegarle!

D: [*Con tranquilidad*] ¿Por qué? Dime por qué.

M: ¡Todo lo hace mal!

D: ¿Qué temes que ocurriría si no la mataras ni le hicieras daño?

M: Que seguiría jodiéndolo todo.

D: ¿Qué es lo que ha jodido?

M: [*Llorando*] No puede conseguirnos el tipo de amor que necesitamos porque se lo carga todo. Todas las relaciones.

D: Entendido, pero dime por qué estás tan molesta con ella ahora. ¿Tiene que ver con el trabajo que hemos hecho?

M: Está enseñándole a todo el mundo que está desprotegida y desnuda.

D: ¿Qué supone para ti que mostrara aquello?

M: ¡Es lo peor que podía pasar! Tiene que ser fuerte y perfecta.

D: ¿Qué edad crees que tiene?

M: [*Como Mona*] Dice que tengo treinta y dos años. Yo le digo que ahora soy mucho mayor.

D: Muy bien. Imagino que, cuando tenía treinta y dos años, la parte tenía razones de peso para mantenerla fuerte y perfecta. ¿Es así? Y para atacarla si alguna vez bajaba la guardia.

M: Sí, en esa época me deprimía, me encerraba por completo y lo perdía todo. Aquello duraba años.

D: ¿Se siente la parte aliviada de saber que ya no te encuentras en esa situación?

M: No, porque dice que seguramente seguiré cagándola y haciéndome daño.

D: Entendido. Permíteme volver a hablar con la parte. [*A la parte:*] ¿Qué te ha parecido hablar conmigo de esos sentimientos que tienes?

M: Es bueno decirle a alguien lo estúpida que es Mona.

D: No: lo que tú me has dicho es lo peligroso que es para ella mostrar los genitales y ser vulnerable, y lo entendemos. También entendemos que hubo ocasiones en las que realmente tuviste que impedirle hacerlo. ¿Qué tal sienta oír eso?

M: Sienta bien.

D: Gracias por compartir todo esto conmigo y déjame volver a hablar con Mona.

¿Estás ahí? [Ella asiente] ¿Qué sientes ahora por esa parte?

M: Siento afecto por ella: lo único que busca es que no me desmande.

D: Sí, sólo pretende mantenerte a salvo: en realidad, no desea matarte. No sabe qué otra cosa hacer más que amenazarte para que te portes bien. Dile que lo entiendes, a ver cómo reacciona ahora.

M: Se siente aliviada.

D: Y ponla al día sobre tu vida en el presente y que hay con quien puede permitirse ser vulnerable, como Bob [*su terapeuta*].

M: Sí, está llorando, agotada. Le estoy preguntando de dónde sacó esas creencias sobre tener que ser perfecta y fuerte. Dice que fue cuando yo tenía veintitantos. La abrazo mientras llora. Le da vergüenza el arrebato que ha tenido.

D: No hace falta. Es estupendo que tú también las haya encontrado. Y me alegro de que me hayáis llamado; ahora lo dejo en manos de Bob.

B: Gracias, Dick. Mona, ¿qué te inspira ahora esa parte?

M: Un sentimiento muy maternal; aún estoy abrazándola.

Seguramente queda claro el motivo por el que he incluido esta sesión: por mucho que consultemos a los protectores por adelantado y parezca que nos dan permiso, no es raro que bomberos como los de Mona reaccionen luego violentamente. Si te sucede algo así, en vez de polarizar a la parte y arrancar un circuito de retroalimentación reforzadora, prueba a mostrar interés. Según mi experiencia, la parte sólo necesita que la comprendan, la tranquilicen y la quieran.

Al acercarnos a sus exiliados, me he encontrado con muchos clientes que me decían (con ira o vergüenza) alguna versión de lo siguiente: «No sé lo que me estás haciendo. Llevo diez años sobrio y anoche salí y me emborraché». Mi respuesta estándar es: «Eso está muy bien, porque ahora tenemos línea directa con una parte que aún no hemos sanado». Ni que decir tiene, la perspectiva de que los síntomas son las actividades de las partes ha costado de introducir en el campo de la psicoterapia.

Con Mona creo que conocimos a tres bomberos: el disociador soñoliento, el maníaco y el suicida. También encontramos a un directivo, el que la acusaba de lo que había ocurrido. ¿Cómo distinguirlos? No es cuestión de la actividad protectora, porque ambos pueden recurrir prácticamente a cualquier actividad. Por ejemplo, pongamos que tengo un cliente bebedor compulsivo. Si alguna vez se siente despreciado, va a un bar y se emborracha. Sin embargo, con el tiempo descubre que, si siempre está bebido, ya de entrada nunca nota las faltas de respeto. Por consiguiente, beber ha pasado de ser una actividad de bombero a una de directivo. Distintas partes emplean la misma actividad con distintos fines: los directivos previenen la activación de exiliados, y los bomberos reaccionan después de que un exiliado se haya activado.

El ejemplo de Mona plantea también el problema de los recuerdos rescatados. Mona se vio a sí misma como una niña pequeña que dice que el adolescente le hizo algo. ¿Es un recuerdo preciso? Sin más pruebas, no podemos saberlo con seguridad. Con la IFS, sin embargo, podemos recuperar y descargar a esa niña sin necesidad de saber si el recuerdo es preciso ni actuar al respecto en el mundo exterior, e igualmente lograremos un efecto sanador.

SEGUNDA PARTE
Liderazgo del Self

CAPÍTULO SEIS

Sanación y transformación

¿A qué nos referimos cuando hablamos de sanación y transformación en IFS? Como he apuntado antes, nuestra cultura (en general) y la psicoterapia (en concreto) han cometido el terrible error de dar por hecho que las partes son tal como aparentan. Es decir, la parte que nos hace comer demasiado no es más que un impulso de atracarse, o la que nos hace temblar de miedo es sólo un ataque de pánico, y eso es cuanto son: impulsos destructivos, emociones, patrones de pensamiento o enfermedades mentales. Una vez comprendamos que no estamos enfermos ni somos imperfectos y nos demos cuenta de que simplemente tenemos una parte que desempeña un rol extremo, nos sentiremos aliviados y reconfortados.

Las familias también son así. Por ejemplo, la literatura sobre familias de alcohólicos y los roles fraternales que se confían a los chiquillos por la dinámica de su familia a menudo corresponden a los roles de niño perdido, héroe y chivo expiatorio. Ahora bien, estos roles no tienen nada que ver con la esencia de ese niño en concreto. Si un buen terapeuta interviniera y reorganizara la familia, el niño se vería liberado de su rol y se relajaría siendo quien realmente es. Yo sostengo que con las familias internas sucede lo mismo: se confían determinados roles a las partes y éstas ansían que los liberen de ellos. Una vez son libres, se transforman.

Si has crecido en una familia del todo armoniosa en una cultura del todo armoniosa, no tendrías a las partes ejerciendo estos roles. De hecho, apenas percibirías a las partes, pues estarían trabajando juntas, cuidando unas de otras y sintiéndose conectadas con tu Self; dicho de otro modo, tu sistema interno estaría en armonía. Hay personas que sí tienen muchas partes que nunca se descargaron, partes que aún siguen en sus estados valiosos por naturaleza. Los terapeutas no solemos trabajar con personas así, porque la terapia no les hace especialmente bien. Con quien trabajamos normalmente es con las partes cargadas de personas que están vinculadas a los problemas que nos plantean.

Recuerda los cuatro objetivos de la IFS: liberar a las partes de sus roles y devolverlas a sus estados naturales, restaurar la confianza en el Self, devolver la armonía al sistema interno y estar liderados por el Self. Lo que en este libro denominamos sanación es crucial para alcanzar estos objetivos, porque los exiliados con cargas seguirán haciéndonos sentir vulnerables, ansiosos, inútiles, avergonzados, solos y vacíos. Y todo ello seguirá impulsando a nuestros protectores.

Un exiliado sana cuando el Self lo recupera del lugar del pasado donde estaba atascado.

En su origen, la palabra *sanar* significaba «formar un todo» o «salvar». Cuando sanamos cualquier nivel de un sistema humano, devolvemos la armonía a sus miembros dispersos o polarizados, para que el sistema vuelva a formar un todo. Los miembros de familias o empresas sanadas no desaparecen: lo que hacen es volver a conectar y armonizar. Lo mismo sucede con las familias internas.

Un exiliado sana cuando el Self lo recupera del lugar del pasado donde estaba atascado. Entonces el exiliado puede descargarse y empezar a reintegrarse con el resto de las partes del sistema. Cuando eso sucede, el sistema se siente mucho menos vulnerable y los protectores también se sienten libres para descargar y adoptar nuevos roles valiosos. Con ello, toda la energía protectora que se destinaba a impedirnos que nos activáramos y mantener a raya a nuestros exiliados queda liberada para dedicarla a empeños más saludables y tenemos un nuevo acceso a los sentimientos y recuerdos maravillosos de nuestros antiguos exiliados sanados.

A continuación, un resumen de una sesión que sirva de ejemplo: Cheryl vino a verme poco después de que su novio le hubiese pedido que se casaran. Su reacción inmediata cuando se le declaró fue el pánico, y no entendía a qué venía eso, porque ella lo quería mucho. Llevaban mucho tiempo juntos y le conocía muy bien. En ese momento dudaba de sí misma, pensando que tal vez su intuición veía algo que ella era incapaz de ver. Se planteaba dejarlo y aquello la angustiaba mucho.

Le propuse a Cheryl que se concentrara en ese miedo y lo conociera. Localizó el pánico en el estómago y, al preguntarle lo que sentía al respecto, me dijo que la asustaba mucho y no quería saber nada de él. Le indiqué que comprobara a ver si esas partes podían cedernos algo de espacio para conocerlo por unos minutos. Aceptaron, siempre que ellas también tuvieran la palabra luego. Cheryl dijo entonces que sentía curiosidad por el miedo y le preguntó por qué estaba tan aterrado. El miedo acabó mostrándole imágenes de ella de pequeña cuando se sentía atrapada por su padre alcohólico que la maltrataba físicamente, unos recuerdos de los que ella era consciente, pero cuyo impacto había minimizado.

Resultó que el pánico era un protector que había tomado una decisión del tipo «nunca más» en esa época: nunca más dejaría que esa niña pequeña (la exiliada a quien protegía) se hallara en semejante situación. Al escuchar Cheryl al miedo, éste empezó a calmarse, y le dije a la clienta que le preguntara si nos autorizaba a dirigirnos a la niña y sanarla. El protector dijo que se mantendría cerca para mirar, porque no lo veía claro, pero que dejaría a Cheryl intentarlo.

Entonces pregunté a Cheryl qué sentía por esa niña. Empezó a llorar y dijo que le daba mucha pena. Le dije que se acercara a la niña y le mostrara qué le inspiraba esa compasión. La niña aceptó de buen grado su atención y Cheryl la abrazó. Entonces la clienta pidió a la niña que le contara lo mal que lo había pasado con el padre y la pequeña no sólo le mostró momentos de maltrato, sino que también hizo sentir a Cheryl la ansiedad y traición intensas que experimentaba constantemente por aquel entonces. Una vez que esa pequeña exiliada se sintió plenamente reconocida, Cheryl viajó a esa época y, con la niña mirando, le dijo al padre que no volviera jamás a tocar a la niña. Entonces se la llevó de esa época a la casa donde ahora vivía y le aseguró a la chiquilla que nunca tendría que volver a esa época y que Cheryl la cuidaría ahora. Una vez convencida de ello, la niña deseaba descargar toda la ansiedad, la sensación de impotencia y los sentimientos atrapados. La chiquilla decidió sacarlo todo de sí y ofrecerlo a la luz. Entonces abrió la puerta de su cuerpo a una sensación de estar a salvo y de ser encantadora.

Seguidamente, invitamos al protector basado en el pánico a venir a ver a la niña, para que viera que ya no tenía que protegerla. Al verlo, el protector se quedó impresionado y contento, pero no estaba del todo listo para descargar su pánico (los protectores arrastran cargas también), porque aún protegía a otros exiliados que nos quedaban por conocer. Finalmente, sanamos también a esos exiliados. Cheryl se casó con su novio y lo último que he oído es que les va bien.

Éste es un ejemplo del proceso sanador en la IFS. Presento este resumen para ilustrar parte de lo que has empezado a experimentar hasta ahora en los ejercicios. Con Cheryl, enseguida me dirigí a su exiliada. No lo hemos hecho hasta ahora ni lo haremos en este libro. Como he comentado anteriormente, trabajar directamente con exiliados puede ser delicado cuando se está solo. Se puede, no obstante, empezar a preguntar y a saber de los exiliados que movilizan a los protectores, y luego tal vez dirigirse a esos exiliados con la ayuda de un terapeuta de IFS formado o con alguien en quien se confíe que pueda permanecer en el Self con nosotros, sin activarse si mostramos mucha emoción.

Los exiliados necesitan que conectemos con ellos hasta que confían en nosotros. Entonces precisan que presenciemos lo que les ocurrió y sepamos lo mal que realmente lo pasaron. Luego podemos volver al punto del pasado donde están anclados y sacarlos de ahí.

A esas alturas, normalmente están deseando descargar las creencias y emociones que han estado llevando a cuestas.

Cuando les enseñamos que ya no hace falta que protejan a sus exiliados, a veces los protectores se sentirán aterrados. Creen que vamos a echarlos. ¡Llevan décadas haciendo el mismo trabajo! Yo he aprendido a preguntarles, sencillamente, «¿Qué quieres hacer ahora?», porque todos tienen el deseo natural de hacer algo productivo en nuestro interior y, como he apuntado antes, no se puede predecir con exactitud de qué se tratará. Muchos directivos pasan a ser consejeros, así que la parte que siempre ha estado en búsqueda del peligro ahora quiere sólo ser perspicaz y susurrarnos a veces cuando nos adentramos en una situación nueva. Otros quieren hacer lo contrario del rol que han estado desempeñando. El crítico se convierte en nuestro mayor fan. El que quería que pasáramos desapercibidos ahora quiere ayudarnos a brillar.

EJERCICIO: EL CAMINO

Como esta parte del libro está dedicada al liderazgo del Self, quiero proponerte una práctica que te aportará una sensación más intensa de tu Self y la energía del Self.

Como en las ocasiones anteriores, ponte cómodo y respira varias veces profundamente si eso te ayuda. En el ojo de tu mente, sitúate al principio de un camino. Puede ser uno donde ya hayas estado o uno que desconozcas por completo. Reúnete con tus partes al principio de este camino y pregúntales si querrían esperarte ahí y dejarte emprender este corto viaje a solas por un rato.

Observa cómo reaccionan ante tal idea. Puedes intentar fijarte en si las que están asustadas pueden recibir consuelo de las que no lo están, y hacerles saber a todas que no te ausentarás mucho tiempo y que esto sería bueno para ellas y para ti, pero no están obligadas a permitirte hacerlo si no están preparadas. Depende exclusivamente del día: a algunas les parece bien y otras no están por la labor, y es normal. Si no están por la labor, no lo hagas. Puedes dedicar el tiempo únicamente a conocerlas mejor y comprender sus temores a dejarte probar esto.

Eso sí, si les parece bien, adelante, emprende el camino, recordándoles que pronto estarás de vuelta. En distintos momentos, te haré detenerte y te diré que te fijes en ciertas cosas conforme avanzas, pero por ahora, limítate a tomar el camino.

Ahora voy a invitarte sólo a fijarte en qué está sucediendo mientras sigues en el camino y, en particular, si piensas en algo, porque si estás pensando es que alguna de las partes está aún contigo. Comprueba si ellas también estarían dispuestas a separarse y volver con el resto. De lo contrario, ¿qué es lo que temen?

También puedes explorarte el cuerpo en busca de cualquier cosa que no acabe de parecerte como tú en tu Self. Si encuentras algo, seguramente también es una parte, y puedes pedirle que vuelva al principio del camino. Si las partes que encuentras están dispuestas a volver al principio del camino, irás notando gradualmente que te vuelves más y más pura conciencia, sin pensar demasiado. Y si las partes no acceden a dejarte, no pasa nada: puedes dedicar el tiempo a conocer sus temores.

Si en algún momento te sorprendes observándote emprender este viaje, es que hay una parte intentando recorrerlo por ti. ¿Quién está mirando? Puedes pedir a esa parte que vuelva al punto de partida, para que, mientras recorres el camino, no te veas a ti mismo, sino lo que te rodea, de forma directa, en primera persona.

Si tus partes confían de verdad en que hagas esto, a estas alturas deberías estar experimentando algunas de las cualidades de las que hemos hablado: claridad, ausencia de pensamiento, holgura, atención al presente, sensación de bienestar, conexión, presencia en su cuerpo, seguridad en sí mismo, etcétera. También puede que sientas una especie de energía vibrante que te recorre el cuerpo. Lo llamamos energía del Self. Si notas esa energía, invítala a circular por tu cuerpo.

Si notas algún lugar donde la energía no pueda fluir, es probable que haya una parte bloqueándola por alguna razón, así que puedes comprobar si esa parte también quiere regresar al principio del camino. Si no sientes alguna de estas cosas, es que aún hay partes contigo, puedes examinarte el cuerpo y la mente a ver si encuentras esas partes y preguntarles si volverán al punto de partida.

En algún momento, detente sin más y asimila esta experiencia. Fíjate en lo que se siente al tener tanto Self en el cuerpo. Observa los distintos modos en que puedes sentirlo, así como en cómo y dónde se manifiesta y se revela la energía del Self. Es importante recordar estos marcadores: así es como puedes decir que estás encarnado. Según transcurre tu jornada, puedes decir hasta qué punto estás o no estás presente: en qué medida tus partes llevan la batuta.

Yo reviso a menudo lo abierto que tengo el corazón, si estoy pensando mucho o si noto presión en los hombros y en la frente (que es por donde andan mis directivos). Si pillo a alguna de estas partes manos a la obra, me limito a pedirles que se tranquilicen y que, en cierto modo, vuelvan al punto de partida y miren mientras yo lidio con lo que sea que esté afrontando. «Vosotras confiad en mí», les digo. Algunas necesitan darme algún consejo antes de retroceder, y no pasa nada.

Si a estas alturas sientes en gran medida esta energía del Self, una gran dosis de encarnación, tienes la posibilidad de abrir la puerta a cualquier mensaje del universo. Puede que no llegue nada, y no hay problema, pero a veces las personas reciben instrucciones claras llegadas a un punto así.

Ahora voy a invitarte a regresar al principio del camino al ritmo que te convenga. Y cuando vuelvas a reunirte con tus partes, observa cómo reaccionan ante tu regreso y agradéceles los riesgos que hayan asumido para dejarte hacerlo. Comprueba si les parecería bien dejar que lo volvieses a probar en algún momento. Recuérdales de nuevo que puedes ayudarlas, que tu objetivo es ganarte su confianza, y si alguna de ellas no ha confiado en ti por algún motivo, que estás abierto a saberlo y ponerle remedio. Si aún sientes la energía hormigueante del Self, puedes propagarla a todas tus partes. Ya verás que resulta muy sanadora y que puedes dirigirla a tus partes y a otras personas. Yo la propago a los clientes cuando estoy trabajando con ellos. Si eres capaz de hacer esta última parte, limítate a notar cómo tus partes reaccionan al recibir la energía del Self que tienes para ellos.

Y cuando parezca que todo se ha completado, vuelve a agradecer a tus partes cualquier fragmento de este ejercicio que hayan permitido y empieza a volver a prestar atención al exterior. Eso sí, comprueba también si puedes conservar algo de este estado del Self incluso al abrir los ojos y regresar.

Algunas personas no llegan muy lejos en el camino. Por una u otra razón, sus partes no lo permiten. Aun así, es positivo saber por qué. Pregúntales por qué no confían en que sea seguro y trabaja con sus temores.

Ahora bien, si las partes están dispuestas a esperar al principio del camino y dejarte recorrerlo a solas, casi todo el mundo sin excepción tiene algunas de las experiencias que he descrito. La energía del Self surge espontáneamente en cuanto nuestras partes nos permiten encarnarnos por completo, y podemos dirigir esa energía a nosotros mismos o a quienes escojamos. Personalmente, yo no la propago a nadie, a menos que sepa que será bien recibida, pero te aliento a hacerla llegar a las partes, tanto si han accedido a ello como si no, porque según parece les encanta.

En el momento en el que te he propuesto que preguntaras si había mensajes, no es raro que no ocurra nada. Ahora bien, algunas veces hay quienes reciben orientación clara sobre su vida o sobre cómo trabajar con sus partes. Y otras es sólo una especie de calidez, una sensación reconfortante de que no están solas. Si recibes información en ese momento, compártela con tus partes.

En cuanto a de dónde procede esa información, la verdad es que no me posiciono al respecto. Ya se trate de nuestra intuición, una parte sabia de nosotros, algún guía espiritual o lo que sea…, te dejo que lo descubras por ti mismo. Sólo diré que, desde el punto de vista de la observación empírica, cuando las personas están del todo en el Self y piden un mensaje, a menudo llega algo útil.

Otro aspecto importante de este ejercicio es que con frecuencia nos obliga a percibir las partes que de lo contrario no percibiríamos. Todos tenemos directivos que son parecidos al Self o se le parecen Self. Generalmente, al estar tan mezclados e involucrados en la mayoría de nuestras interacciones con el mundo, no los detectamos. Muchas veces creen que son nosotros y muchas veces nosotros también lo creemos. Sin embargo, no son más que un tipo de protector muy convincente. Nos hacen ser simpáticos, educados y atentos, por ejemplo, pero sólo para persuadir a otras personas de que les caigamos bien y que piensen que somos buenos. Y a menudo son los responsables de mantener exiliadas a partes determinadas que no aprueban. A diferencia del Self, los directivos parecidos al Self tienen planes de protección ocultos y no son del todo auténticos cuando expresan empatía, gratitud o respeto. Son lo que algunos llaman peyorativamente el ego, pero merecen nuestro amor y no nuestro desdén. Como a cualquier otro protector, debemos liberarlos de sus enormes cargas de responsabilidad.

EJERCICIO: ACCEDER AL SELF MEDIANTE LA SEPARACIÓN

Al igual que el ejercicio que acabas de hacer, esta práctica te ayudará a indagar en cómo el Self opera en tu interior. Como sueles hacer al empezar estos ejercicios, tómate un momento para ponerte cómodo y respira profundamente si te parece que le va bien. Una vez más, vamos a pasar revista a las partes que estás conociendo activamente y ver qué tal les va hoy. Recuérdales que estás ahí con ellas, que puedes ayudarlas y que para ti son importantes. También puedes ir más allá e incluir a otras partes que tal vez no conozcas tan bien: limítate a hacerles llegar tu reconocimiento de que sabes que están ahí, que te importan, y que tienes previsto seguir conociéndolas.

Cuando percibas que todas tus partes se sienten al menos reconocidas por ti, pídeles que se relajen y abran espacio en tu mente y tu cuerpo. Asegúrales que sólo será por un ratito, y que el propósito de este ejercicio es que tú y ellas sepan más sobre quién eres realmente.

Si acceden, volverás a pasar por la misma experiencia de conciencia expandida y desahogada que experimentaste en el ejercicio del camino. Esta vez quiero que compruebes si estarían dispuestas a permitirte mantener este estado que denominamos liderazgo del Self incluso al abrir los ojos. Así que, si hasta ahora has tenido los ojos cerrados, prueba a abrirlos y comprueba si es capaz de percibir la holgura. Puede que también descubras que, al abrir los ojos, las partes vuelven a estar atentas a proteger.

La práctica de abrir los ojos en ese estado constituye un paso en un proceso que puede llevarte a experimentar la sensación de estar liderado por el Self y encarnado en tu vida cotidiana. Cuando hablo de «práctica» no me refiero a que el liderazgo del Self sea algo que debas desarrollar como un músculo. Lo que hacemos en este ejercicio es sencillamente ayudar a las partes a confiar más, para que te permitan encarnar y liderar, y así aprendan que hacerlo no entraña riesgos. Cuanto más lo intenten y vean que no pasa nada horroroso, más dispuestas estarán a seguir intentándolo. Podemos experimentar más y más esta otra forma de ser e incorporarla a nuestra vida diaria.

Al final de esta práctica, no olvides agradecer a tus partes todo lo que están haciendo y devolver la atención al exterior. Y también comprueba hasta cuándo puedes conservar esta sensación del Self cuando regreses y vaya transcurriendo tu jornada.

QUÉ ES EL SELF Y QUÉ NO ES EL SELF

Al principio de desarrollar la IFS, descubrí que, cuando guiaba a los clientes en estos ejercicios y sus partes abrían espacio en el interior, pasaban espontáneamente al Self. Es más, era casi como si la misma persona emergiera en distintos clientes, así que empecé a catalogar las cualidades que todos manifestarían. Y así es como recabé la siguiente lista.

Las ocho C de la energía del Self y el liderazgo del Self

- Curiosidad
- Calma
- Convicción
- Compasión
- Creatividad
- Claridad
- Coraje
- Conexión

Aunque estas C carecen de orden secuencial, creo que la primera cualidad que se revela es a menudo la curiosidad. Seguramente has notado que sientes más curiosidad por tus partes, de un modo distinto, en algunas de las prácticas que has llevado a cabo en este libro. La compasión como aspecto espontáneo del Self me dejó atónito, porque siempre había dado por hecho y me habían enseñado que la compasión era algo que había que adquirir. Existe la idea —sobre todo en algunos círculos espirituales— de que hay que desarrollar el músculo de la compasión con el tiempo, porque no es innato. Una vez más, asoma la visión negativa de la naturaleza humana. Para que quede claro, al hablar de compasión me refiero a la capacidad de estar en el Self con alguien que sufre de verdad y sentir *por* él, pero sin que su dolor nos sobrepase. Sólo podemos hacerlo si lo hemos hecho en nuestro interior. Es decir, si somos capaces de estar con nuestros propios exiliados sin mezclarnos y sin que nos saturen, y en su lugar mostrarles compasión y ayudarlos, podemos hacer lo mismo por alguien sentado frente a nosotros que sufre.

Naturalmente, esto también conlleva una dosis considerable de coraje y calma. En el Self, cuesta menos manejar a personas problemáticas o situaciones que hayan podido paralizarnos antes, y también podemos penetrar en las cuevas y abismos interiores que un día nos causaron pavor. Hay convicción a la hora de hacerlo, y también creatividad. Una vez en el Self, gozamos de gran claridad sobre lo que sucede en nosotros y en los demás, y eso nos permitirá concebir todo tipo de soluciones e ideas singulares.

Asimismo, cuando experimentamos el Self, nos sentimos de forma natural más conectados a la humanidad en general, y también a algo mayor y más inclusivo: la Tierra, el universo, el gran SELF, o cualquiera que sea nuestra experiencia de ello. Dicho de otro modo, una vez en el Self, nos sentimos menos aislados y solos.

Naturalmente, todas estas cualidades funcionan juntas. Cuando nos entra curiosidad por una parte, vemos por naturaleza más claramente en qué consiste todo, y eso normalmente genera una nueva compasión por todo por lo que ha pasado e intenta hacer. Asimismo, cuando las personas notan lo conectadas que están con la humanidad, sienten más curiosidad por el prójimo y tienen más coraje para ayudarlo. Por consiguiente, incluso acceder a una de estas cualidades C desemboca a menudo en la aparición y actividad de otras. En la IFS, hablamos de empezar con una *masa crítica de Self*: lo suficiente para lograr encarrilar el asunto en una buena dirección y que los demás lo sigan.

Dicho esto, es raro que alguien se halle en un estado de puro Self, en que todas estas cualidades se manifiestan a la vez (aunque el ejercicio del camino a veces nos puede acercar bastante). Casi siempre andamos mezclados en alguna medida con distintas partes. Sin embargo, al demostrar reiteradamente a las partes que no tienen que mezclarse, experimentamos gradualmente más de las ocho C, y también más a menudo. Y también descubriremos que en nosotros brotan otras cualidades, como la alegría, la ecuanimidad, el perdón, la perspectiva y la jovialidad.

> Cuando las personas notan lo conectadas que están a la humanidad, sienten mayor curiosidad por el prójimo y tienen más coraje para ayudarlo.

Cuanto más familiares nos sean estas cualidades, más capaces seremos de decir cuándo estamos en el Self y cuándo no. Yo tengo una serie de marcadores que compruebo mientras transcurre la jornada, pero también los encuentro especialmente útiles en momentos de activación. Por ejemplo, cuando estoy interactuando con alguien, enseguida noto lo abierto o cerrado que tengo el corazón y cuánta compasión tengo por esa persona. Compruebo si tengo muchos planes ocultos que me lleven a hablar con esas personas o si mi tono de voz está contenido o falto de energía. Asimismo, puedo comprobar cuántas de las ocho C estoy encarnando. Cada cual tiene sus marcadores, y te animo a encontrar los tuyos. Entonces puedes dar por hecho que todo alejamiento de esas cualidades es producto de la actividad de las partes, y eso te permitirá identificarlas y recordarles que separarse y confiar en que tú manejes la situación no entraña peligro. Y cuando, efectivamente, confíen en ti, de pronto notarás que el corazón se te abre más, te cambia la voz, la vista se te vuelve clara, la respiración más profunda, etcétera.

También quisiera decir algo sobre qué no es el Self. Principalmente me interesa subrayar que el Self no es lo que la gente suele considerar el ego, que en términos de la IFS es un grupo de directivos que tratan de regir nuestra vida y mantenernos a salvo. El Self tampoco es nuestro ego observador o *consciencia testimonial*, porque no se limita a mirar sin hacer nada. Al Self no le basta sólo con observar. No es compasivo observar pasivamente desfilar a seres sufrientes. Cuando accedemos realmente al Self, deseamos por naturaleza ayudar a sus partes.

El Self no es observable: no podemos ver a nuestro Self, porque es la sede de la consciencia. Es el lugar desde donde vemos nuestras partes y el mundo exterior. Así que, si te pidiera que abrazaras a una parte de ti mismo y tu experiencia consistiera en verte llevar a cabo esa acción, ese no es tu Self. Como he comentado en el ejercicio del camino, si te ves a ti mismo en el mundo interior, suele ser una parte parecida al Self que intenta manejar las cosas por ti, porque no confía en que dejar que lo hagas tú no entrañe riesgos.

No es compasivo observar pasivamente desfilar a seres sufrientes.

Algunas tradiciones espirituales nos enseñan que no podemos realmente describir qué es el Self, que en cierto modo es inefable. Yo no creo que sea así. Creo que, cuando las personas acceden al Self, se caracterizan por las cualidades que hemos estado comentando, pueden sentir palpablemente que éstas están ahí y los demás pueden percibirlas en ellas. Es algo muy real, nada etéreo ni indescriptible. El Self es ciertamente más que la suma de sus partes. También está en todas y cada una de las personas, aunque necesita algo de *hardware* (esto es, capacidad intelectual) para funcionar plenamente. Los niños pequeños no pueden acceder del todo al Self, aunque pueden encarnar suficiente Self para sanarse emocionalmente, un proceso presenciado y descrito por muchos terapeutas infantiles de IFS. Los niños carecen de la capacidad racional para protegerse completamente en el mundo, independientemente de hasta qué punto sus partes les permitan ser liderados por el Self. Y ésa es una de las razones por las que tus partes perdieron la confianza en el liderazgo de tu Self cuando te hicieron daño de pequeño: no podías protegerlas constantemente, y creyeron que debían tomar las riendas.

Cuando nos damos cuenta de que no somos las partes egoístas e inseguras con las que nos hemos identificado durante tanto tiempo, sino que somos ese Self curioso, calmado, convencido, compasivo, creativo, claro, valiente, jovial, generoso y juguetón —y que nuestra esencia está conectada a algún tipo de principio universal mayor— nos sentimos felices.

LA ESPIRITUALIDAD Y EL SELF

Ya he hablado de los tipos de espiritualidades que atraen a exiliados, directivos y bomberos. ¿Y al Self? En pocas palabras, el Self tiene un deseo inherente de crear y proporcionar equilibrio, armonía, plenitud y sanación en todos los niveles de un sistema.

Llevo ya un tiempo interesándome por la combinación de IFS y los fármacos alucinógenos, porque parecen causar el efecto de ayudar rápido a las partes protectoras a relajarse, con lo que las personas tienen a menudo mucho más acceso al Self del normal. Ha habido varios proyectos de investigación que demostraban las ventajas de los alucinógenos, algunos de los cuales se describen en el famoso libro de Michael Pollan, *How to Change Your Mind*.

Me ha interesado especialmente el uso de MDMA, en parte porque (a diferencia de otras sustancias psicodélicas) cuando se ingiere MDMA no se tienen alucinaciones ni se abandona el cuerpo. Lo que se experimenta es una sensación de paz interior, alegría, bienestar y una conexión y compasión intensas para con el prójimo. Dicho de otro modo, se experimentan las mismas cosas que he ido descubriendo sobre el Self.

Cabe destacar la existencia actual de un estudio (ahora en ensayos de fase III) que aborda cómo funciona el MDMA con pacientes aque-

jados de TEPT, y la investigación está encabezada por Michael y
Annie Mithoefer, dos terapeutas de IFS bien formados. No practican
la IFS con los sujetos a no ser que empiecen a identificar espontáneamente a una parte y a trabajar con ella. Lo que hacen es mantener
una presencia compasiva, no dirigida, y dejar a los sujetos ir adonde
deseen. En un estudio temprano, los Mithoefer descubrieron que el
70 % de los sujetos empezaba a trabajar con sus partes afectuosamente de modo espontáneo, sin ninguna presión.[1] Este fenómeno
vendría a sugerir que lo que sucede en la IFS es un proceso natural
que todos sabemos cómo llevar a cabo cuando no nos limitan los
protectores. En general, creo que las personas lideradas por el Self
se sienten atraídas por prácticas, rituales y tradiciones religiosas que
las ayudan a acceder a más Self y sentir su conexión con algo mayor
y más universal (por ejemplo, lo que algunos llaman Dios y lo que yo
denomino SELF). Asimismo, escogen caminos espirituales que las
alientan a aportar conexión, armonía y sanación a sus partes, a otras
personas y al planeta. Practican frecuentemente la meditación, pero
sólo de formas que no denigren ni exilien a las partes. Lo ideal es que
la meditación, el mantra, el cántico o la práctica del mindfulness
aliente a separarse de las partes, apacigüe a los protectores y permita al Self introducirse en el cuerpo para que la persona pueda experimentar la sensación de bienestar, calma y amor que acompaña la
encarnación del Self.

Acceder al Self por medio de la meditación no es sólo un modo
agradable de pasar veinte minutos. Estamos demostrando a nuestras
partes que separarse las beneficia, porque sentirán nuestra presencia
cálida en nuestro cuerpo, lo cual las tranquiliza y ayuda a confiar más
en nosotros. Asimismo, obtenemos un sentido más profundo de
cómo es acceder más plenamente al Self. Según transcurre la jornada, podemos darnos cuenta de hasta qué punto nos hallamos o no
en ese estado; y si no es así, podemos recordar a nuestras partes que
hagan sitio y nos dejen volver.

---

1. Mithoefer, Michael y Annie. Informe no publicado.

Con ciertos tipos de meditación, también podemos adentrarnos en el estado no dual: la experiencia sin límites de la unidad, donde perdemos la sensación de ser independientes y nos mezclamos con algo oceánico. He experimentado personalmente este estado tanto en meditación como con la psicodélica ketamina, y es siempre muy profundo. Regreso con una mayor sensación de que en el universo hay mucho más de lo que los sentidos nos permiten experimentar, así como con una mayor compasión por lo difícil que puede ser este plano terráqueo, unido a un compromiso de mejorarlo.

La física cuántica nos dice que un fotón es a la vez una partícula y una onda. Yo creo que con el Self ocurre igual. Casi siempre experimentamos el Self en su estado de partícula: sentimos cierto grado de conexión con los demás y el SELF, al tiempo que notamos que somos entidades separadas con límites y voluntad individual. Por medio de la meditación o las sustancias psicodélicas, no obstante, podemos perder esos límites y adentrarnos en el estado de onda: pasamos a ser parte del campo del Self (SELF), mucho más amplio, de un modo que resulta numinoso.

Nuestras partes olvidan nuestro estado de conexión como ondas y también pueden hacer que nosotros lo olvidemos.

De hecho, la física cada día reconoce más este extraño fenómeno en que todo es a la vez partícula y onda. Hay un reconocimiento creciente de que todo lo que parece sólido es en realidad parte de un campo vibratorio. Como afirma el innovador físico teórico Sean Carroll, «Para comprender lo que ocurre, hay que renunciar un poco al concepto de las partículas». Sugiere que, en su lugar, pensemos en campos. Ya sabemos de los campos magnéticos o gravitacionales. Sin embargo, como subraya Carroll, «el universo está repleto de campos, y lo que tomamos por partículas no son sino vibraciones de esos campos, como olas en el mar. Un electrón, por ejemplo, no es sino una vibración de un campo de electrones».[2]

---

2. Jepsen, Kathryn. *Real Talk: Everything Is Made of Fields*, Symmetry, 18 de julio de 2013, symmetrymagazine.org/article/july-2013/real-talk-everything-

Estoy convencido de que hay un campo de Self. Podemos adentrarnos en ese campo por medio de la meditación, por ejemplo, convertirnos en parte de ese campo y perder nuestra condición de partículas. En el estado de onda, nos volvemos no duales. Al acabar la meditación, recobramos nuestra condición de partículas y notamos que estamos en un cuerpo que está separado del resto de las personas. Nuestras partes, sobre todo cuando están cargadas, olvidan nuestro campo o estado de conexión como ondas y también pueden hacer que nosotros lo olvidemos. Al separarnos de ellas y acceder a un Self más puro, recordamos nuestra conexión en estado de onda.

Al ser nuestro Self partícula un aspecto de un campo vibratorio, se compenetrará con el Self en otras personas y en nuestras partes. Como describe el escritor científico Tam Hunt, «Todas las cosas de nuestro universo están en constante movimiento, vibrando. Incluso los objetos que parecen inmóviles están en realidad vibrando, oscilando, resonando a distintas frecuencias. La resonancia es un tipo de movimiento, caracterizado por la oscilación entre dos estados. Y en última instancia, toda materia no es más que vibraciones de varios campos subyacentes. Se da un fenómeno interesante cuando distintas cosas/procesos vibratorios se aproximan entre ellos: muchas veces empezarán, al cabo de poco, a vibrar juntos en la misma frecuencia. "Se sincronizarán", en ocasiones de modos que pueden parecer misteriosos. Es lo que hoy se conoce como el fenómeno de la autoorganización espontánea».[3]

Creo que tener esas experiencias de campo u onda y recordarlas después me ayuda a mantener el tipo de perspectiva desapegada de la que hablan los budistas. No desapegada en un sentido disociativo, sino algo no reactivo y ecuánime frente a las adversidades de la vida.

is-made-of-fields.

3. Hunt, Tam. The Hippies Were Right: It's All about Vibrations, Man! *Scientific American*, 5 de diciembre de 2018, blogs.scientificamerican.com/observations/the-hippies-were-right-its-all-about-vibrations-man/?fbclid=IwAR3Qgi8LisXgl-S2RO5mBtjglDN_9lJsVCHgjr0m9HR4gBhO83Vze8UeccA.

En vez de hacer que me preocupe menos por lo que ocurre en este mundo, esa clase de desapego me ayuda a actuar para mejorar el mundo sin que me importen tanto mi imagen o estilo de vida. También creo que uno de los motivos por los que las sustancias psicodélicas van tan bien a las personas deprimidas o a quienes se encuentran al final de su vida es que ayudan a las personas a mantener un sentido del estado de onda y experimentar en primera persona que hay mucho más más allá de esta vida.

Ahora bien, necesitamos un equilibrio entre pasar tiempo en la onda y luego trasladar esas perspectiva y energía trascendentes de Self a nuestras partes y las personas con quienes nos encontramos. Meditar puede ser un complemento estupendo al trabajo interior de la IFS. He estado colaborando con un par de maestros de budismo tibetano —el lama John Makransky y la lama Willa Miller— para comprobar en qué medida varias de sus prácticas mejoran el proceso de la IFS y cómo la IFS puede ayudarlos a evitar la evasión espiritual o el exilio de las partes. He colaborado de modo parecido con Loch Kelly, conocido por la forma en la que ayuda a las personas a comprender enseguida lo que él ha bautizado como *destellos* de Self por medio de su adaptación de una meditación budista Dzogchen.

Hay quien ha escrito concienzudamente sobre la integración de la IFS con el cristianismo.[4] Yo creo que rendir culto a Jesús y otros profetas liderados por el Self puede ayudar a las personas a acceder al Self e inspirarlas a llevar a cabo actos de altruismo, siempre que ese culto no usurpe la confianza de nuestras partes en nuestro propio Self. Por desgracia, hay comunidades religiosas que lo hacen.

---

4. Ver Riemersma, Jenna (2020). *Altogether You: Experiencing Personal and Spiritual Transformation with Internal Family Systems Therapy.* Pivotal Press; y Steege, Mary y Schwartz, Richard (2010). *The Spirit-Led Life: A Christian Encounter with Internal Family Systems.* Createspace.

Mi amanecer espiritual

Mi padre era un conocido médico/investigador endocrinólogo y, como tal, era ateo científico. Era de Nueva York (había crecido en los distritos de Brooklyn y Queens) y le habían criado unos judíos conservadores que habían inmigrado de Hungría siendo adolescentes. Siendo joven, mi padre renunció a la religión organizada, y la culpaba de los males del mundo. Siempre estuvo orgulloso de considerarse judío, pero uno laico, no religioso. Él me marcó mucho. Mi madre creció en una familia cristiana, en una granja de trigo situada en Montana, y se convirtió al judaísmo para complacer a los padres de mi padre. Ella tampoco tenía firmes convicciones religiosas.

Como nunca pude creer en el Dios castigador, deseoso de adoración y paternal al que me expusieron en el judaísmo y el cristianismo, me consideraba ateo, y lo espiritual me interesaba poco. Al acabar la universidad, probé la meditación trascendental, a ver si me ayudaba con la ansiedad, y desde luego que lo hizo. Por medio de mi mantra, podía dejar atrás mis problemas durante veinte minutos, adentrarme en un estado de lo más agradable y sentir que una energía cálida y vibrante me recorría el cuerpo. Me encantaba practicarla, pero rehuía el misticismo hindú en el que estaba arraigada. Practiqué meditación trascendental asiduamente durante años y luego lo dejé, pero guardé el recuerdo del estado maravilloso al que podía acceder.

La primera vez que encontré Self en los clientes a principios de los ochenta, cuando les ayudaba a que sus partes hicieran sitio en el interior, intenté en vano asociar el fenómeno a una teoría psicológica. La idea predominante en psicología evolutiva y teoría del apego era que para que alguien poseyera esa clase de fortaleza de ego debía haber recibido de niño una crianza lo suficientemente buena. Sin embargo, tenía clientes que habían sufrido torturas diarias de pequeños y, aun así, manifestaban el mismo Self intacto.

Empecé a preguntarme si ese Self se parecía al lugar al que me había llevado la meditación trascendental. En aquella época también tenía varios alumnos que estaban estudiando distintas tradiciones espirituales. Uno pensaba que el Self era como *atman* y otro que era la naturaleza búdica. Aquello me animó a descargar mi carga por legado antirreligiosa y buscar analogías del Self en distintas tradiciones espirituales. Resulta que está en todas partes, especialmente en las vertientes contemplativa o esotérica de esas tradiciones. Muchas tenían la convicción de que hay una esencia divina en el interior de todo el mundo, y yo empecé a pensar que había dado con un modo de acceder a esa esencia en las personas mucho más rápido de lo que esas tradiciones enseñan que es posible.

La mayoría aspiraban a superar la ignorancia de nuestra naturaleza divina para luego ser conscientes de quiénes somos en realidad. Yo estaba descubriendo algo parecido con los clientes. Cuando las personas empezaban a notar sus partes y luego a separarse de ellas, cambiaban súbitamente de identidad y se daban cuenta de que no eran sus partes cargadas, sino que eran el Self.

Parecía que, sin pretenderlo, había dado con una forma sencilla de alcanzar lo que muchas tradiciones denominaban despertar.

Cuando digo que *despertamos* al hacer este trabajo, no quiero decir que nos convirtamos en gurús que viven por ahí en alguna montaña y reparten sabiduría entre los visitantes. Tampoco me refiero a que vayamos a ser parecidos a Buda continuamente. Lo que sí veo es que este sencillo cambio en el sentido de quiénes somos realmente empieza a impregnarnos la existencia de diversas formas positivas. Tal vez no cambie enormemente la rutina diaria de nuestra vida, pero constituye un cambio drástico en nuestro sentido de la fundamentación, el bienestar y nuestra sensación de tener derecho a estar aquí. Para mí, eso es despertar.

Cuanto más nos acostumbramos a ese estado, menos nos cuesta detectar cuándo lo abandonamos, cuándo tenemos un «ataque de una parte». Deja de ser algo tan importante, porque sabemos que es temporal y que podemos separarnos de la parte y ayudarla. E incluso si no podemos separarnos, confiamos en que nuestro Self sigue ahí y en algún momento regresará. Muchos de nuestros problemas no se deben al ataque de la parte en sí, sino al espanto que nos suscita, porque creemos que nos define y que no se acabará.

CAPÍTULO SIETE

El Self en acción

Confío en que a estas alturas tengas ya una idea clara de qué es el Self y qué significa estar liderado por el Self. En este capítulo, quiero acercarme algo más al modo en que alcanzar el liderazgo del Self influye en nuestra vida, dentro y fuera.

La psicología evolutiva y la teoría del apego nos han ayudado a entender lo que los niños necesitan de sus cuidadores al desarrollarse. La IFS puede considerarse una teoría del apego llevada al interior, en el sentido de que el Self del cliente se convierte en la figura de apego positiva para sus partes inseguras o evitativas. Al principio, me quedé estupefacto al descubrir que, cuando podía ayudar a los clientes a acceder a su Self, empezaban espontáneamente a relacionarse con sus partes del modo amoroso que prescribían los libros de texto sobre teoría del apego. Era cierto incluso en el caso de quienes, ya de entrada, nunca habían gozado de una buena crianza. No sólo escuchaban a sus jóvenes exiliados con atención amorosa y los abrazaban pacientemente cuando lloraban; también disciplinaban con firmeza pero afectuosamente a las partes que ocupaban los roles de críticos internos o distractores. El Self sabe bien cómo ser un buen líder interno.

¿Y por qué es esto importante? Entre otras razones, si uno puede convertirse en lo que yo denomino el cuidador principal de sus pro-

> **La IFS puede considerarse una teoría del apego llevada al interior.**

pias partes, libera a la pareja (o a los terapeutas, hijos, padres, etc.) de la responsabilidad de cuidar de exiliados frágiles y dependientes. Así, estas personas pueden ejercer de cuidadores secundarios de sus partes, una función mucho más placentera y viable.

La mayoría tenemos lo contrario. Nuestros exiliados no confían en nuestro Self y, por consiguiente, ellos y los protectores que tratan de que se apacigüen miran al exterior en busca de lo que necesitan. Cuando encontramos a alguien que se parece al perfil que los exiliados tienen de su protector, redentor o amante ideal, se sienten entusiasmados, embriagados y aliviados. Por medio de lo que se conoce como transferencia positiva, nuestras partes asocian imágenes distorsionadas a esas personas, que inevitablemente frustran esas expectativas extremas. Entonces llega la transferencia negativa de los protectores furiosos.

Hay varias personas al frente de talleres sobre crianza liderada por el Self. Cuando los padres y madres están liderados por el Self, se relacionan con sus hijos externos del mismo modo que con los internos: con paciencia, calma, claridad, amor, firmeza y consuelo.

Quisiera volver brevemente a la visión de partícula/onda del Self a la que he aludido brevemente en el capítulo anterior. Si hablamos del Self en acción, la lección principal es aplicar algunas de estas experiencias de estado de onda —holgura, ecuanimidad, bienestar e interconexión— a nuestra vida cotidianas. Con ese nivel de consciencia expandido, hay muchas más probabilidades de que tengamos compasión por el prójimo, porque en cierto modo recordamos que ellos son nosotros.

Cuando vemos a otras personas como seres completamente aparte y monomentales, cuesta no juntarlos. Los cosificamos como narcisistas, psicópatas o racistas, y nos perdemos la oportunidad de conectar con sus otras partes. Cuando definimos a alguien de un modo determinado sin prestar atención a su sistema interno de exiliados y protectores, cuesta mucho mucho más mantener el corazón abierto y actuar con ellos de un modo eficaz.

En el momento en el que escribo esto, nuestro presidente, Donald Trump, es para mí un ejemplo de ello. Algunos de mis protectores pueden simplificarle y verle como una de esas categorías diagnósticas. Y si yo tuviese la oportunidad de conocerlo, mi objetivo sería probablemente avergonzarlo para que cambiara, lo cual —por el modo en el que reacciona ante los intentos de humillarlo— sería del todo contraproducente. Ahora bien, podría hacer algo del todo distinto. Si adoptara la perspectiva de la multiplicidad inherente a la IFS, entonces podría ver detrás de sus protectores y saber que sólo tratan de mantenerle a salvo y hacerle sentir mejor. Ellos mismos tratan de lidiar con los exiliados del interior de Trump que le hacen sentir tan inútil, y sin duda están todos anclados en lugares horribles de su infancia. Esta estrategia diferente es también como la buena crianza: puedo sentir compasión por el hombre y a la vez molestarme el daño que están causando sus protectores y luchar para detenerlos.

Ya hace unos cuantos años que formo a activistas sociales para que lideren desde el Self. Según mi experiencia, muchas personas se sienten llamadas a ser activistas porque sufrieron mucho daño en el pasado, llevan consigo a montones de exiliados y, por consiguiente, tienen protectores que no quieren que nadie más sufra como ellos sufrieron. Como resultado, su activismo a veces lo lideran protectores, y eso puede polarizar más los problemas y alejar a aliados potenciales. Como observa Charles Eisenstein, «Vemos una vez tras otra, en el seno de organizaciones medioambientales, de grupos políticos de izquierdas, el mismo acoso de los subordinados, las mismas apropiaciones de poder, las mismas rivalidades egoicas que vemos en todas partes. Si todo esto se da en nuestras organizaciones, ¿cómo no se va a dar en el mundo que creemos, en caso de que lo logremos?».[1]

Esto también va por mí. Aunque en el IFS Institute aspiramos a estar liderados por el Self, tenemos claramente nuestros propios

---

1. Eisenstein, Charles (2013). *The More Beautiful World Our Hearts Know Is Possible.* North Atlantic Books.

puntos ciegos, y —al ser yo el líder— muchos de ellos reflejan mis propias partes cargadas. Mi consciencia creciente de esta dinámica me ha llevado a comprometerme a trabajar sin cesar conmigo mismo, al igual que los miembros de mi personal de formación y administración.

Sesión tres: Ethan y Sarah

Incluyo la siguiente transcripción porque ilustra la labor con activistas sociales. Asimismo, muestra claramente muchos aspectos de la IFS relacionados con la espiritualidad y el Self, de los que hasta el momento tan sólo hemos hablado.

Ethan y Sarah Hughes (sus verdaderos nombres) son líderes del movimiento Living-off-the-grid. Llevan una vida muy sencilla en una casa pequeña, prescindiendo de electricidad, usando velas por la noche. Cocinan y calientan su hogar con un horno de leña, mantienen la comida en frío en una bodega y se desplazan en bicicleta y transporte público, en vez de hacerlo en coche. Viven deliberadamente por debajo del umbral de la pobreza, para no pagar impuesto de la renta... o, como Ethan lo llama, *impuesto de guerra*. Cada año reciben a más de 1500 visitantes que acuden a inspirarse y aprender cómo lo hacen ellos. De este modo, Ethan y Sarah son un ejemplo de cómo se puede abandonar el ritmo frenético y resuelto de nuestras vidas y acceder a otras partes de nosotros. Cuando alguien se queda en casa de la familia Hughes, a menudo se sorprende de lo rápido que acaba disfrutando de este estilo de vida sostenible que respeta la Tierra y los mantiene conectados con ella.

Ethan y Sarah habían oído hablar de la IFS, pero aún no la habían probado. Éste fue mi primer encuentro con ellos.

ETHAN: Yo creo que uno de los problemas recurrentes es que la parte que yo llamo el *destructor de la injusticia* atacará lo que sea, incluida Sarah, que le parezca que apoya la supremacía blanca o el clasismo. Un ejemplo es que somos una familia de cuatro viviendo en una casa de poco más de 45 metros cuadrados y Sarah quiere una ampliación. Yo le digo que tenemos que vivir en un espacio más reducido y que hay gente sin hogar, pero el tema surge de un modo que genera mucha falta de armonía o algo mucho peor.

DICK: ¿Y con qué frecuencia dirías que surge?

E: Hace dos años casi nos separamos y desde entonces lo reprimí mucho.

SARAH: Sí, ambos nos reprimimos. Y cuando sucede, no hablamos de ello. Pero el marco de la IFS nos resulta superútil para entender lo que ocurre; antes no contábamos con esa herramienta.

D: Entonces, Sarah, cuando detectas la presencia de esa parte de Ethan, ¿qué sucede en tu interior?

S: Tengo cierta ira que se presenta, pero eso ha sido peligroso para mí, así que tengo que acallarlo. Hay una parte silenciadora. Así que tengo esta ira silenciosa. Y también he tenido una parte disociativa que puede apartarme o puede ayudarme a olvidar nuestro conflicto para poder volver a abrirme a Ethan. Porque tengo un corazón muy tierno y me gusta ser abierta. Así que cuando se asoma esta parte destructora, entonces hago [*imita un jadeo*] así. Me cierro como una almeja.

D: Entendido. Bueno, chicos, tenéis mucho adelantado al saber ya quiénes son los jugadores internos. Así que, Ethan, tú tienes a este destructor de la injusticia. Cuando Sarah reacciona así ante él, ¿qué ocurre en tu interior?

E: Me pongo muy triste, porque es como si no hubiera sitio para esa parte de mí, así que empiezo a pensar que no tendría que estar con Sarah. Que ella tiene el corazón demasiado tierno para este guerrero orgulloso. Siento que estoy haciendo daño a alguien a quien quiero muchísimo. Así que tengo que hacerlo callar.

D: Sientes que no deberías estar con Sarah porque ves el daño que ello causa. Y no quieres seguir infligiéndolo.

E: Pero tampoco quiero acallarlo.

D: Quieres que esa parte tenga sitio.

E: Ha sido una danza, a veces una pelea. Quiero decir que lo siento.

D: De acuerdo, hagámoslo. Veamos qué clase de reparación podemos hacer ahora mismo. ¿Estás abierta a ello, Sarah? [*Asiente*]

S: Adelante, Ethan.

E: [*Sollozando*]

D: Eso es bueno, quédate con esa tristeza. Está muy bien.

E: [*Sin dejar de sollozar*] Lo que viene ahora es que sé lo mucho que amas el mundo. Lo mucho que lloras porque las monarcas se están muriendo.

Lloraste cuando se extinguió la rana arbórea. Lo siento mucho. Esta parte tiene como dos caras: trata de proteger el mundo por ti y luego te hace daño. Todo esto me parece tan sagrado, y llevo tantos años intentando...

D: Muy bien, permíteme interrumpirte un instante. Sarah, ¿qué te ha parecido lo que has oído?

S: Me ha enternecido especialmente que dijeras que quieres protegerme porque sabes que lo amo todo muchísimo.

D: Entonces entiendes que ésa es la intención de esa parte.

S: Sí, conozco a esa parte. A veces ha sido hiriente, pero también es una de las razones de que le quiera.

D: Pues yo me inclinaría por trabajar con esa parte destructora. ¿Estás listo para eso, Ethan?

E: Sí.

D: Pues mientras lo hacemos, es importante que tú, Sarah, te mantengas en el Self. Vale, ¿estás lista?

E: Sí.

D: Busca a ese tipo dentro o alrededor de tu cuerpo. Al destructor de la injusticia. ¿Dónde lo notas?

E: Justo aquí [*se señala el pecho*].

D: Y al notarlo, ¿qué sientes por él?

E: Agradecimiento y miedo.

D: Vamos a tomar al que teme cedernos el espacio para llegar a conocerlo. Esta parte puede ir a una sala aparte..., no hace falta que participe en esto. Puede confiar en que tú y yo ayudaremos a la parte destructora.

E: Sí, ¿puedo pedir a la parte asustada que se aparte y mire?

D: Sí, claro. ¿Qué sientes ahora por ese tipo?

E: Lo que me sobreviene es que quiero que tenga un puesto de poder en un mundo que necesita de él, pero de un modo que no cause rechazo a la gente ni la asuste.

D: Exacto. Hazle saber que ésa es tu intención. Y que lo valoras y sientes gratitud hacia él. Y a ver cómo reacciona.

E: No me acaba de creer porque le he hecho callar muchas veces.

D: Ya, pues dile que puedes entender que le cueste creer lo que dices. Porque, efectivamente, le hiciste callar. Es lógico que le cueste confiar en ti, ¿no?

E: Sí.

D: Pues nos limitaremos a reparar tu relación con él de un modo parecido a como acabas de hacerlo con Sarah. Comprueba qué necesita para empezar a confiar en ti otra vez.

E: Dice que se ha comprometido a impedirme que me duerma. Necesita confiar en que no me olvido de seguir comprometido con la verdadera justicia toda la vida.

D: Entendido, ¿y qué le respondes a todo eso?

E: Creo que tiene razón, pero es que me he visto aislado muchas veces por sus decisiones que surgen del amor, entonces activan a la gente, mis intentos sólo logran traer a otras partes de otras personas. Tiene razón en que hay otras partes que quieren dormir un tiempo, que temen no estar integradas.

D: Así que tenemos esa polarización en el interior. Muy bien, entonces hazle saber que están esas partes a las que no les entusiasma que pueda hacer eso a la gente. Para que puedas comprender por qué le cuesta confiar en ti.

E: [*Sollozando*] Dice que sabe muy bien que amo el mar y que no quiere que me vea obligado a explicar s mis hijas por qué no quedan peces en el mar.

D: Ya, dile sólo que entendemos lo mucho que se preocupa y hasta qué punto desea con todo su corazón que las cosas cambien y mejoren. Lo comprometido que está con ello. La gran admiración que eso nos despierta. ¿Qué tal le va, cómo reacciona?

E: Está emocionado por haber podido salir. Y dice que le emociona trabajar conmigo.

D: Bien. Eso es justo lo que estamos intentando, organizarlo de manera que no tenga que tomar siempre las riendas, sino que pueda trabajar contigo y tal vez que tú hables por él. Y comprueba a ver si le parece bien.

E: Sí. Ve mucho potencial en ello. No deja de presentarse en imágenes y dice: «¿Qué cojones estamos haciendo? Vamos todos a cocinar para que el personal de cocina de este centro de retiro, principalmente gente de color marginada, pueda entrar y conseguir este trabajo».

D: Hasta darse este gusto le cuesta. Pregúntale, Ethan, si protege otras partes de ti, si está dispuesto a revelarlo.

E: Hay una parte que no hace más que llorar, hecha un ovillo todo el día, y ni se mueve.

D: De acuerdo, pues pregúntale si podríamos dirigirnos a esa parte y sanarla para que no volviera a sentir eso y se sintiera bien. ¿Sería capaz de relajarse un poco más? No le estamos pidiendo para nada que cambie de rol: le estamos pidiendo si accedería a relajarse algo más y confiar más en que tú hables por ella.

E: Lo único que dice es que la última vez que me acerqué a esa parte me pasé un mes llorando —cuatro horas cada noche— y dice que no hay motivo para que yo llore cuando todo está muriendo.

D: Pues dile que, si nos da permiso, no será ése el resultado. En vez de eso, vamos a acercarnos a ese individuo, sin que nos supere, y le vamos a sacar de ahí donde está atascado. Vamos a descargar mucha de la tristeza que arrastra. A ver qué tal le suena eso a este tipo destructor.

E: Está de acuerdo en probarlo.

D: Se lo agradecemos de verdad. Y antes de ir para allá, comprueba si hay alguna otra parte que tenga miedo de dejarnos dirigirnos a ese tipo.

E: A las otras partes se las ve emocionadas.

D: Bien. Estupendo. ¿Estás listo?

E: Sí.

D: Concéntrate en ese tipo hecho un ovillo, encuéntrale en tu cuerpo o en sus alrededores. ¿Y qué sientes por él al notarle ahí?

E: Lamento mucho que tenga que venir a un mundo como éste.

D: Está bien, pues díselo. Que el mundo está muy mal. Que no tenía alternativa. Y a ver cómo reacciona a tu compasión.

E: Ha levantado un momento la cabeza del ovillo.

D: Bien. ¿Y a qué distancia lo tienes?

E: A un metro y medio, más o menos.

D: De acuerdo, bien. Pues ahora lo único que vamos a hacer es brindarle esta compasión, hasta que empiece a confiar en que ya no está solo. En que tú estás ahí.

E: Dice que no puede irse sin su padre.

D: ¿Sin su padre? Pues que sepa que comprendemos lo mucho que necesita a su padre. Dile sólo que lo entiendes. Pero también, si suena sincero, si suena bien, dile que puedes ser un padre para él, si le gusta la idea.

E: Ha dejado de llorar.

D: Bien. ¿Aún le tienes a más o menos metro y medio?

E: Me estoy arrodillando algo más cerca.

D: Bien. Eso está muy bien. Pues vamos a seguir así, hasta que confíe en ti como alguien que puede cuidarle como un padre.

E: Ahora estoy abrazándole.

D: Bien. ¿Cómo reacciona?

E: Está volviendo a llorar un poco.

D: Dile que no pasa nada por llorar mientras le abrazas. ¿Está bien experimentar parte de estos sentimientos ahora mismo?

E: [*Sollozando*] Sí.

D: Eso está la mar de bien. Dile que lo entiendes, que lleva consigo una cantidad enorme de tristeza.

E: Me está abrazando muy fuerte.

D: ¿Te está abrazando muy fuerte?

E: Sí.

D: Eso está muy bien. ¿Estás listo para preguntarle qué necesita que sepas sobre lo que le ocurrió?

E: Sí.

D: Pues pídele que te deje de verdad sentir, ver y experimentar, para que puedas sentir toda esta tristeza y lo mal que lo pasó.

E: Se siente muy incomprendido.

D: Se siente muy incomprendido. ¿Por ti o por otros?

E: Por otros.

D: Entendido, pues dile que te lo enseñe. Qué pasó que le hizo sentir tan incomprendido.

E: [*Sollozando*] Dice «¿Por qué todo el mundo bebe, conduce y mata gente?». Dice que es una mierda.

D: Sí, es una mierda. Hazle saber que es una muy buena pregunta.

E: Dice que su madre y hermano no lo comprendían.

D: Dice que su madre y hermano no lo comprendían. ¿No lo comprendían a él o qué cosa?

E: Dice que la mierda que es que la gente haga eso.

S: A su padre lo atropelló un conductor bebido.

D: Sí, me lo imaginaba. ¿Y qué edad tenía ese chico, Ethan?

E: Trece.

D: Sí, entendido. Entendido. Dile que siga, que va muy bien. Que puede dejarte verlo y experimentarlo todo. Tú sólo dile que siga, con lo que sea que necesite que comprendas.

E: Es que estoy triste porque nadie pudo enseñarme a estar con él.

D: Sí, pues dile que lamentas mucho no haber podido estar con él de ese modo. Todos estos años. Que sepa que lo lamentas. Que en cierto modo tuviera que quedarse ahí encerrado.

E: Se está calmando un poco.

D: Estupendo.

E: Tiene trece años, pero es pequeño.

D: Vale. Pregúntale si ahora lo comprendes, lo mal que lo pasó. Si hay más.

E: Cuenta que era muy duro ir al instituto público. [*Sollozando*] Que después del desastre, todo el mundo hablaba de cómo vestían. Los profesores ni siquiera le dijeron nada.

D: Los profesores no le dijeron nada.

E: Como si no hubiese pasado nada. Es como si estuviera en una puta cárcel.

D: Eso es.

E: No soportaba ir al puto centro comercial.

D: Que sepa que todo esto también lo entiendes.

E: Hay un elemento más, con una parte de él que se sentía en parte responsable.

D: Del accidente.

E: Sí.

D: Pregúntale por qué.

E: Porque su padre le propuso ir al partido de baloncesto la noche que le atropellaron. Él prefirió ir a los recreativos con otra gente.

D: Así que si hubiese ido con el padre, ¿no se hubiese producido el accidente o qué? ¿Qué lógica tiene esto?

E: No oigo decir más que la superficialidad mata.

D: Entendido, de acuerdo. ¿Tiene sentido que él creyera eso?

E: [*Asiente en señal de acuerdo*]

D: Dile que lo entiendes. Que desde entonces ha estado en contra de la superficialidad. Es lógico. Es de lo más lógico. Entonces, Ethan, ¿qué le dices sobre si fue culpa suya?

E: Le digo que no.

D: Sí. Tenemos que seguir con ello hasta que empiece a creérselo. ¿Cómo reacciona cuando le dices eso?

E: Se disculpa por caer en las redes de la superficialidad de la cultura.

D: Se disculpa. No acabo de seguirle.

E: Es lo que me ha llegado, que lamenta haber caído en eso. Era la primera vez que mi padre me invitaba. Era el entrenador de baloncesto de la escuela secundaria y era la primera vez que me invitaba a ir a un partido.

D: Y él prefirió lo superficial.

E: Sí, él quería que yo fuera al partido, y otras personas decían «Mejor vamos a los recreativos». Y caí en las redes de esa cultura.

D: Entendido, pues hazle saber que lo comprendes. Hazle saber que comprendes por qué se siente tan culpable al respecto. [*Pausa*] ¿Qué tal está ahora?

E: Vuelve a estar tranquilo.

D: Bien. Tú comprueba si cree que comprendes todo lo que quiere que comprendas.

E: Está asintiendo.

D: De acuerdo, perfecto. Ahora, Ethan, quiero que regreses a esa época y estés con él del modo en que el chico necesitaba a alguien. Avísame cuando estés ahí con él.

E: Me veo poniéndome delante de la cama, y él llora, así que hay alguien que están ahí, y yo le miro.

D: ¿Te ves a ti mismo ahí? Entonces pídele a esa parte que está tratando de hacerlo por ti que te deje hacerlo, de manera que no te veas a ti mismo: estás ahí acompañándole y punto. Avísame cuando estés ahí con él.

E: Vale.

D: ¿Cómo estás acompañándole?

E: Está llorando un poco y yo tengo las manos sobre sus pies.

D: Perfecto. Quédate así con él.

E: [*Pausa, respirando*]

D: ¿Él se da cuenta de tu presencia?

E: Sí.

D: ¿Le gusta?

E: Sí.

D: Vale, bien. Ahora pregunta si hay algo que quiere que hagas con él o por él antes de que le llevemos a un buen lugar seguro.

E: Sólo quiere que le abrace.

D: Adelante, abrázalo.

E: Y quiere que le diga que no va a pasar nada.

D: De acuerdo, adelante, haz ambas cosas.

E: [*Pausa, sorbiéndose la nariz*] Estoy alternando entre abrazarle y verme abrazarle.

D: Y en cuanto a ese tipo, tú muéstrate firme con él. Entendemos que quiere ayudar. Dile sencillamente que no nos hace falta, que puedes encargarte tú.

E: De acuerdo.

D: [*Pausa*] ¿Qué tal le va contigo ahora?

E: Dice que no quiere estar sólo.

D: Bien. Pregúntale si hay algo más que quiera que hagas ahí con él o por él, antes de que le llevemos a un buen lugar. ¿Necesitaba que hablaras en su nombre con la familia?

E: Sólo dice que pregunta dónde está mi madre, que está completamente solo y es tarde.

D: Entendido. ¿Quiere que vayas a buscarla o le basta con que se lo expliques?

E: Bueno, se lo estoy diciendo ahora mismo, porque mamá no estaba mucho por casa, y tenía que trabajar.

D: De acuerdo.

E: Pregunta por qué no pasaban los vecinos.

D: ¿Qué le respondes?

E: Que tienen sus propios problemas.

D: Hazle saber que debería haber tenido a alguien, que se lo merecía.

E: [*Pausa*]

D: Y que ahora te tiene a ti.

E: Está sonriendo por primera vez.

D: Magnífico. Bueno, comprueba si está listo ahora e iremos a algún lugar que le gustará.

E: Sí.

D: ¿Y adónde le gustaría ir? Puede ser el presente o un lugar de fantasía.

E: Quiere nadar en el mar.

D: Bien, llevémosle al mar. Eso sí, antes de que se eche a nadar, dile que nunca más tiene que volver a ese lugar y que tú cuidarás de él. Y pregúntale si está listo para descargar los sentimientos y creencias que tenía entonces.

E: Sólo pide... Dice que quiere un montón de tortugas y algas y delfines. Quiere el mar tal como era antes.

D: Entendido, preparémoslo para él.

E: Está contento de ver tanta vida.

D: Eso es estupendo. Y ahora pregúntale si está listo para descargar todo esto.

E: Sí.

D: ¿En qué parte del cuerpo lo lleva? ¿Dentro o en el entorno del cuerpo?

E: En la parte posterior de la cabeza.

D: ¿A quién quisiera entregárselo? A la luz, al agua, al fuego, al viento, a la tierra o a cualquier otra cosa.

E: Al agua.

D: Bien, pues dile que se lo saque todo de la parte posterior de la cabeza y deje que el mar lo tome.

E: Ha soltado una parte, pero hay una parte que no quiere olvidar.

D: Entendido. ¿Entonces quiere aferrarse a los recuerdos?

E: Ha dicho que podría meterlos en una canoa.

D: Pues en una canoa los meterá. Manos a la obra. Se lo sacamos de la parte posterior de la cabeza y a la canoa.

E: Se da cuenta de que tiene más en el corazón y en el estómago.

D: Bien, saquémoslo. No hay por qué seguir cargando con nada de esto.

E: [*Pausa*] Está flotando.

D: Estupendo. Estupendo.

E: Está empujando la canoa para que se aleje.

D: Eso está muy bien. Muy bien. ¿Cómo se siente ahora?

E: Sonríe y no llora, pero aún siente algo de tristeza.

D: ¿Y esa tristeza quiere descargarla o es algo que quiere expresarte a ti?

E: Quiere descargarla.

D: Entendido. ¿En el mar o en la canoa?

E: En el mar. Quiere tener a mi padre.

D: Ethan, con eso podemos hacer lo siguiente: puedes invitar al espíritu de tu padre a venir y puede que venga o puede que no. Pero puedes comprobar si el chico quiere invitar al espíritu de tu padre a venir.

E: Sí quiere.

D: Bien, pues dile que lo haga. Y veamos si se presenta el espíritu de tu padre.

E: Está aquí.

D: Qué bien. Genial. Y veamos si hay algo que quiera que sepa este muchacho. Si el muchacho quiere preguntarle algo.

E: Está sonriendo y el chico está contento de verle. Está en un bote de remos y simplemente sonríe.

D: Bien. ¿Y el chico quiere darle esa tristeza? ¿O qué quiere hacer con esa tristeza?

E: Está preguntando a mi padre si, en caso de que le dé esa tristeza, perderá la conexión.

D: ¿Y qué contesta tu padre?

E: Dice «Estoy aquí siempre».

D: Ya. ¿Y qué le parece al chaval?

E: Se ha montado en el bote con mi padre [*sollozando*]. Le gusta que mi padre le abrace.

D: Sensacional. Muy, muy bien.

E: Ahora ha alargado una mano y me llama.

D: Bien.

E: Me está invitando.

D: Bien, entonces puede también sumarse.

E: [*Sollozando y respirando profundamente*] Ahora estoy abrazando al chico, mi padre mira y sonríe.

D: Bien, Ethan. Vamos a invitar al tipo de antes, al destructor de la injusticia a entrar a ver a este chico. Mira qué tal reacciona.

E: Hay más partes y están contentas de verle.

D: Eso está muy bien.

E: Una de ellas baila. [*Respirando hondo*] El destructor no baila, pero está como sonriendo y asintiendo. Tiene los brazos cruzados [*risas*].

D: Bien.

E: Creo que está algo impaciente.

D: Comprendo que para él lo que estamos haciendo es indulgente.

E: Ahora está como sonriendo y riendo conmigo.

D: Puedes preguntarle si le gustaría descargar algo que lleva consigo y no le pertenezca.

E: Sí, una carga.

D: ¿En qué parte del cuerpo, exterior o interior, la lleva?

E: En el cuello y la espalda.

D: ¿Sabes lo que es?

E: Que proteger la vida depende de él.

D: Sí, correcto. ¿A qué cosa le gustaría ofrecérselo?

E: He visto una imagen de una montaña descomunal, mitad montaña, mitad mujer.

D: Dile que suelte lo que tiene en el cuello y se lo dé a esa mujer montaña.

E: Está arrodillándose y haciéndolo descender como si fuera una espada sagrada.

D: Bien.

E: Levanta la mirada para asegurarse de que para ella es lo correcto.

D: ¿Qué dice ella?

E: No utiliza palabras, pero es un sí.

D: Bien.

E: El muchacho quiere agarrar la espada, pero desea de verdad que yo sepa que quiere hacer algo para la luz.

D: Sí, dile que podéis pensároslo, que igual no hace falta hacerlo ahora. ¿Cómo se siente sin la espada?

E: Mucho más ligero, pero quiere un propósito.

D: ¿Tipo «¿qué voy a hacer?»?

E: Sí, quiere sostener algo.

D: A falta de espada, Ethan, dile que puede abrir la puerta del interior de su cuerpo a lo que quiera, incluyendo un propósito. A ver si aparece algo.

E: La Diosa Montaña le da una esfera de luz que el chico sostiene.

D: Bien, magnífico. ¿Cómo se siente sosteniendo esa esfera de luz?

E: Brilla.

D: Bien, esto está muy bien.

E: Sonríe. No quiere que se acabe.

D: Entendido, pues dile que no tiene por qué acabarse. Puede limitarse a sostenerla. ¿Ya está todo por ahora?

E: Supongo [*risas*]. Sólo quisiera conectar contigo [*con Sarah*] de algún modo.

D: Adelante.

S: ¿Quieres que venga?

E: Sería estupendo que te sentaras en mi regazo [*sollozando*].

S: [*Se sienta en su regazo acariciándole la cabeza*]

Esta sesión ilustra muchas de las ideas y procesos de los que hemos hablado hasta ahora, así como varios fenómenos que aún no hemos abordado. Permíteme empezar haciendo dos advertencias: primero, no todas las sesiones van tan bien. Ethan y Sarah tenían la ventaja de llevar un tiempo practicando con la IFS, habían llegado a conocer las partes fundamentales y ambos asumían su responsabilidad por su papel en el conflicto. Además, las partes de Ethan ya confiaban en su Self lo bastante como para apartarse al pedírselo, y de entrada ése no suele ser el caso. Segundo, alenté a Ethan a dirigirse a su exiliado —el chico que lloraba hecho un ovillo—, cosa que, como he subrayado antes, te desaconsejo hacer sin ayuda. Incluyo esta sesión aquí sólo para que sepas lo que es posible, no como ejemplo de lo que debes hacer.

Y ahora una reflexión que Ethan quiso compartir conmigo más tarde: «Desde el momento en el que se produjo la descarga, noté más holgura en mi ser cuando surgían cuestiones de justicia. Aunque seguía ardiendo con furia por la justicia y el fin del sufrimiento, ese fuego se compartía con otros, en vez de quemar a otros. El cambio consistió en tener poder *sobre* (Yo veo la injusticia y tú no. ¡Ahora te voy a enseñar lo que es!) a tener poder *con* (Yo veo la injusticia y tú no. Ahora voy a mostrarme amable y curioso contigo para ayudarte a verla o discernir juntos si de verdad hay injusticia). Ahora se me da mejor manejar estas situaciones gracias a la apertura. Es como si, antes de la descarga, mi fuego por la justicia estuviera en una estancia pequeña y arrastrara a la estancia a la gente, que se sentía muy incómoda (acalorada, quemada, ahogada), y ahora, después de haber descargado, el fuego está fuera, expandiéndose y creciendo. Se invita a la gente a sentarse junto al fuego. Se convierte en una fogata dadora de vida y las personas pueden escoger libremente lo cerca que necesitan estar del fuego para encontrarse a gusto. Veo con claridad que esto es lo que mi Self desea. Al volver a casa, el campo energético que rodea mi cuerpo había cambiado a raíz de la descarga. Llegaron a mi vida nuevas personas y oportunidades, como trabajar con mujeres indígenas para formar una comunidad y que me propusieran apoyar con más ahínco al colectivo queer y trans de Maine. Mi energía en torno al trabajo por la justicia está ahora más arraigada y limpia, y creo que es algo que las personas en situaciones y colectivos oprimidos podían notar».[2]

Al ser tantas las cosas que ocurrieron en esa sesión, quiero destacar algunos aspectos. El principio ilustra cómo suele transcurrir la terapia de pareja IFS. Preguntamos por las partes de cada miembro de la pareja que chocan con el otro y, cuando está claro que transformar una parte de uno de los miembros generará un gran cambio, pedimos empezar con ésa. Si se tratara de terapia de pareja continua, probablemente en la siguiente sesión trabajaríamos con las partes de Sarah.

El que pasáramos a trabajar con el destructor de la injusticia de Ethan ilustra muchos aspectos que he abordado en las páginas ante-

---

2. Correspondencia de seguimiento con Sam del autor el 26 de junio de 2020.

riores, concretamente que éste es el tipo de protector que me encuentro dominando a muchos activistas sociales. Es fundamental pedir el permiso de los protectores para sanar lo que protegen (es decir, honrando su labor y sin esperar ni pedirles que cambien). Tranquilizamos a las partes diciéndoles que dejarnos ir a esos lugares no entraña riesgos.

Hay determinados pasos que seguir para sanar a un exiliado. En este caso, lograr que el Self de Ethan forjara una relación de confianza con el chaval de trece años, presenciara lo que le pasó en esa época del pasado y las cargas que acumuló (por ejemplo, sus creencias sobre su responsabilidad y su odio de la superficialidad), recuperar al chico del pasado y ayudarle a descargar y luego traer a los protectores para que vieran que ya no era necesario que desempeñaran sus trabajos nunca más.

Y luego están los aspectos más espirituales que sobrentendí, en este caso implicando el espíritu del padre de Ethan. En mi trabajo, he tenido muchas experiencias con clientes en las que la imagen de un familiar fallecido surge espontáneamente en un momento como el que Ethan vivenció, y esa presencia tiene un efecto saludable. He aprendido a preguntar a los clientes si les interesa abrir las puertas a esa visita si han accedido a mucho Self y parece que puede ser de ayuda. Casi siempre la imagen de la figura llega de este modo y —a diferencia de cuando están vivos— parecen bastante descargados y en el Self, como en el caso del padre de Ethan.

¿Qué es este fenómeno? ¿Se trata de la imaginación del cliente o de otra parte que desempeña el rol del padre fallecido? ¿O de verdad es el espíritu del padre? No pretendo estar en posesión de la respuesta. Soy un empírico, en el sentido de que trato de estudiar estos fenómenos sin ideas preconcebidas. Mi padre fue un buen científico y uno de los mensajes más importantes que me dejó fue que siguiera los datos, aunque me llevaran fuera de mi paradigma. Esta aventura con la IFS lo ha hecho una y otra vez, y estas experiencias en las que aparecen familiares fallecidos lo ilustran. También soy pragmático, así que si esas visitas parecen ayudar, les abro paso.

Según mi experiencia, este fenómeno parece ayudar muchísimo a los clientes.

En un momento posterior de la sesión, cuando Ethan se dispone a descargar a su protector, ve espontáneamente una imagen de un ser que es mitad montaña y mitad mujer: una figura que denomina una diosa de la montaña. Ella entrega al protector una esfera de luz cuando él pide un propósito. ¿Qué es eso? Se trata de otro fenómeno que se da espontáneamente con muchos clientes. En momentos cruciales, lo que la gente llama guías acuden en su ayuda. Tampoco pretendo saber en qué consiste todo esto. Es parte de la aventura de este trabajo: nunca sabes lo que tú y tu cliente os encontraréis en su mundo interno. La clave es no perder la curiosidad y ver si lo que llega parece ayudar o no.

Quiero añadir que estas experiencias aparentemente místicas no sólo suceden con personas que ya creen en esas cosas. He trabajado con completos ateos y clientes cuyas creencias religiosas excluyen esa clase de cosas, y muchos de ellos reaccionan de entrada con ira o temor.

A veces pienso en las personas denominadas chamanes, personas que trabajan a menudo con espíritus ancestrales, así como con entidades comparables a la diosa de la montaña de Ethan. Algunos creen en la existencia de un universo o espacio alternativo al que podemos acceder mediante varias prácticas, como percusión, cantos, danza, oración, ingestión de plantas alucinógenas, hiperventilación, privación del sueño, sueños, ayuno, rituales, etcétera. ¿Sería posible que sólo con concentrarnos en nuestras partes, pudiésemos adentrarnos en ese mismo espacio?

PASAR A ESTAR LIDERADO POR EL SELF

Lo ideal sería que el destructor de la injusticia de Ethan se sintiera menos obligado a tomar el control del modo furibundo y moralizante en que lo hacía antes. Lo que hará será confiar en que el Self de

Ethan hable y actúe por él, y adoptará un rol más de consejero. Conservará su pasión por la justicia, así como su amor por las personas y la Tierra, pero confiará en el coraje, la claridad, la convicción, la compasión, etcétera, de Ethan para expresar de un modo efectivo sus creencias y perseguir sus objetivos.

Además de esas ocho palabras con C que describen al Self, también he identificado otras cinco, y casi todas ellas empiezan con P: paciencia, persistencia, perspectiva y jovialidad. Los activistas sociales liderados por el Self también son capaces de hacer uso de estas cualidades. Como el Self puede mantener una perspectiva a largo plazo, podemos ser pacientemente persistentes en nuestros esfuerzos, sin la urgencia tan apegada que tiende a polarizar. Con la perspectiva de la IFS, también evitamos la idea monomental que lleva a la gente a encasillarse unos a otros y, en su lugar, podemos ver más allá de los protectores de nuestros oponentes y concentrar la mirada en los exiliados que dirigen sus extremos y sentir compasión por ellos. Cuando estamos presentes en Self, podemos ser muy contundentes sin que los conflictos vayan a más, porque el otro no se siente denigrado.

Liderar desde el Self en medio del conflicto se convierte en un objetivo en sí mismo. Por ejemplo, cuando me peleo con mi esposa, pido a mis partes que se hagan a un lado y me dejen quedarme a mí para relacionarme con ella, y no solamente para conseguir que se calme y sea más amable (aunque a menudo el efecto es ése). Lo hago para convencer más a mis partes de que puedo liderar mi sistema. Así que el objetivo pasa a ser tratar de mantener la presencia del Self independientemente de cómo actúe el otro.

Para hacerlo, va bien que nuestras partes se den cuenta de que ya no somos niños y que, como nuestro Self, tenemos cualidades decisivas y podemos ser rotundamente asertivos cuando es preciso. Es frecuente que los protectores menosprecien estas cualidades. Por ejemplo, nos consideran un montón blandengue de compasión pasiva con fronteras porosas que tenemos todas las de perder. O creen que somos demasiado inocentes, confiados o tenemos demasiado miedo para cuidar de ellos. Sólo nos conocen tal como somos cuando nos mezclamos con esas otras partes. A menudo nuestros protectores se sorprenden al saber que podemos separarnos de esas partes, y descubren que tenemos voluntad y podemos proteger nuestro sistema, así que no es necesario que ellos lo hagan.

Esto constituye todo un reto en algunas circunstancias; cuando nos enfrentamos a personas o hechos amenazantes, por ejemplo. Y, aun así, en medio del espanto la rabia, el Self de cada uno de nosotros siempre está ahí: el ojo de la tormenta, la profundidad tranquila bajo las olas agitadas. Siempre hay Self. Por muy activadas y extremas que se muestran nuestras partes, si logramos que se separen lo suficiente, tendremos acceso a al menos algunas de las cualidades del Self, y podremos convivir con nuestro temor o ira, en vez de mezclarnos con ello.

Esto me recuerda un episodio de mi vida, hace años, cuando mi esposa, Jeanne, y yo estábamos de visita en casa de mi hermano y mi cuñada, en Hawái. Hacía un día de oleaje muy fuerte y, a pesar de las advertencias de Jeanne, quise adentrarme en los arrecifes, dando por hecho que, mientras el agua no me pasara de las caderas, no había peligro. Sin querer, se me fue el pie a un desnivel y de pronto me encontré en medio de una corriente que me empujaba a toda prisa hacia el mar. A falta de una idea mejor, traté de nadar directamente de vuelta a la orilla y no llegué a ningún lado. Intenté descansar tumbándome de espaldas, pero el agua de las olas me entraba en la boca y empezaba a ahogarme.

Según me iba cansando más y más, empecé a darme cuenta de que tal vez no saldría de ésa. Partes de mí empezaron a gritarme una y otra vez en la cabeza: «¡Vamos a morir!». Pude separarme de ellas lo suficiente para que me notaran decir «Puede que muramos, pero estaré con vosotras cuando ocurra» y noté que se tranquilizaban. Justo cuando estaba dispuesto a abandonar, mi cuñada llegó a la playa, vio que me hallaba en un aprieto y me indicó frenéticamente por señas que nadara en horizontal, en dirección a las enormes olas. Era contrario a la lógica, pero exactamente lo que debía hacer para volver a la orilla. Sin un ápice de energía que perder, lo intenté una última vez y finalmente las olas me transportaron. Más tarde supe que un hombre se había ahogado en el mismo sitio días antes, así que me sentí afortunadísimo.

Si comparto esta historia es porque, incluso frente al verdadero peligro, es posible contener a las partes. Es difícil, claro. Tengo años de experiencia enseñando a mis partes que mejoramos cuando ellas se separan y me dejan llevar el timón para que confiaran en mí lo suficiente como para hacerlo. Pero cualquier cantidad de autoliderazgo es útil en circunstancias desesperadas. Tal vez no conduzca al tipo de suerte que en mi caso me salvó la vida, pero siempre es mejor enfrentarse a los retos desde la calma, el coraje, la claridad y la convicción, en vez de hacerlo desde partes asustadas, disociadas o impulsivas. Cuanto más Self aportemos a las crisis por las que pasemos (por ejemplo, la pandemia actual), más probable será que sus lecciones se aprendan a todos los niveles: planetario, nacional e individual.

Incluso frente al verdadero peligro, es posible contener a las partes.

CAPÍTULO OCHO

Proyecto y propósito

En términos generales, al obtener más acceso al Self y estar más liderados por el Self, también logramos más claridad sobre el proyecto que tenemos en la vida, lo que significa que nuestras prioridades pueden diferir bastante de las que eran cuando nuestros protectores llevaban las riendas. Cuando tenemos grandes cantidades de exiliados, a nuestros protectores no les queda más opción que ser egocéntricos, hedonistas o disociativos. Incluso a quienes parecen altruistas porque dan mucho a los demás les preocupa frecuentemente más que los otros los consideren virtuosos (o no castigados por Dios). Los objetivos de nuestros protectores en nuestra vida giran en torno a mantenernos alejados de todo ese dolor, vergüenza, soledad y miedo, y utilizan una amplia variedad de herramientas para alcanzar esos objetivos: logros, sustancias, comida, entretenimiento, compras, sexo, obsesión con nuestro aspecto, cuidados, meditación, dinero, etcétera. Nuestros protectores trabajan incansable y animosamente para inyectar aire a nuestro ego, con el fin de que no se desinfle y se hunda en el abismo de las emociones exiliadas.

Como las necesidades de estos protectores consumen casi toda nuestra atención, ahogan y mantienen exiliadas a nuestras partes más sensibles y afectuosas. Descargar a nuestros exiliados permite a nuestros protectores transformarse y empezar a oír más a esas partes de nosotros que no están tan obsesionadas y empujan tanto, a las que les encanta tener relaciones verdaderamente estrechas con los demás, las que quieren crear arte y mover el cuerpo, las que quieren jugar con familiares y amistades y las que sencillamente disfrutan estando en la naturaleza. Cuando estamos más liderados por el Self, nos convertimos en personas más completas, integradas y cabales.

Eso es lo que significa sanación en la IFS: plenitud y reconexión, y un Self deseoso de favorecerla en todos los niveles de un sistema. Como escribe Wendell Berry, «La sanación complica el sistema al abrir y restaurar las conexiones entre las distintas partes, con lo cual se restaura la máxima simplicidad de su unión [...]. Las partes se mantienen sanas mientras se mantengan unidas armoniosamente al todo [...], sólo recuperando las conexiones rotas podemos sanar. La conexión es salud».[1]

Cuando tenemos grandes cantidades de exiliados, a nuestros protectores no les queda más opción que ser egocéntricos, hedonistas o disociativos.

Además de conectar con las partes desatendidas, al acceder a más Self pasamos de estar liderados por los deseos de nuestras partes a estar liderados por los deseos del corazón. Es decir, empezamos a tener indicios de otro proyecto para el viaje de nuestra vida que la dota de más significado. Hay innumerables enfoques que nos enseñan a articular y perseguir un proyecto con sentido de la vida, pero demasiado a menudo esos intentos proceden de nuestros directivos en vez del Self. La experiencia me ha enseñado que lo mejor es esperar a que los protectores se hayan relajado para que emerja el proyecto. De esta manera, recibimos nuestro proyecto en lugar de crearlo.

Varias tradiciones espirituales nos dicen que todos tenemos un verdadero camino o vocación, y una de las razones de que estemos en esta vida es averiguarlo y hacerlo realidad. Jean Houston emplea para describirlo un término acuñado por Aristóteles: *entelequia*, esto es, «la esencia sembrada y codificada en nosotros que contiene las

---

1. Berry, Wendell (1978). *The Unsettling of America: Culture and Agriculture*. Avon Books.

pautas y posibilidades de nuestra vida».[2] Los cristianos a veces aluden a Efesios 2:10, donde se afirma que Dios nos creó a cada uno con un propósito determinado.

Cuando las partes se descargan, casi siempre perciben enseguida su propósito original y adoptan un nuevo rol proporcionado. Cuando las personas acceden al Self, casi siempre perciben enseguida su propósito. En el mundo exterior, descubrirlo puede llevar años; en el interior, muchas veces ocurre de inmediato.

El psicólogo humanista Abraham Maslow es muy conocido por sus ideas sobre la autoactualización. Afirmaba que, una vez cubiertas nuestras necesidades básicas de seguridad, pertenencia y afecto, adquirimos conciencia de una necesidad superior de hacer aquello para lo que estamos mejor dotados. «Un músico debe hacer música, un artista debe pintar, un poeta debe escribir, para estar finalmente en paz consigo mismo [...]. Esta tendencia puede formularse como el deseo de convertirse más y más en lo que uno es idiosincráticamente, en convertirse en todo aquello en lo que uno es capaz de convertirse».[3] En mi opinión, hay demasiado esfuerzo en los primeros escritos de Maslow, en que preconiza el «ser todo cuanto puedas ser», pero estoy de acuerdo en que nuestro objetivo o proyecto emerge de modo natural cuando nuestras partes supervivencialistas se relajan. Más adelante, habiendo estudiado a personas que se autoactualizaban, Maslow descubrió que, aunque no hubiesen maximizado su potencial en todos los aspectos de su vida, esas personas trabajaban por causas que beneficiaban a los demás y para ellos eran valiosísimas, así que no tenían para nada la sensación de estar trabajando. Por medio de su proyecto liderado por el Self, habían hallado su propósito y, en consecuencia, sentían que sus vidas estaban llenas de significado.

Cuando las personas acceden al Self, casi siempre perciben enseguida su propósito.

---

2. Houston, Jean (1996). *A Mythic Life: Learning to Live Our Greater Story.* Harper.

3. Maslow, Abraham (1987). *Motivation and Personality.* [3ª ed.] [eds. Robert Frager, James Fadiman, Cynthia McReynolds y Ruth Cox]. Longman.

Como señala el psicólogo Scott Barry Kaufman, «Los autoactualizadores creativos son capaces de trascender la dicotomía ordinaria entre la inteligencia de la mente y la sabiduría del corazón. Son capaces de zambullirse de lleno en su trabajo, alternando flexiblemente entre modos de ser aparentemente contradictorios: el racional y el irracional, el emocional y el lógico, el deliberado y el intuitivo, el imaginativo y el abstracto, sin prejuzgar el valor de ninguno de estos procesos».[4] He aquí una excelente descripción de la integración flexible que se da en un sistema liderado por el Self. Las distintas partes se mantienen separadas, a la vez que se comunican y colaboran unas con otras, mientras el Self dirige esta orquesta interna.

El prestigioso neuropsiquiatra Dan Siegel ha destacado la importancia de esa integración en la sanación y ha afirmado que la IFS es un buen modo de alcanzarla. Según escribe, «La salud procede de la integración. Es así de simple y así de importante. Un sistema que está integrado se halla en un caudal de armonía. Al igual que en un coro, con la voz de cada cantante diferenciada de las voces de los demás cantantes, pero a la vez conectada con ellas, la armonía nace con la integración. Lo que es importante señalar es que este vínculo no elimina las diferencias, como en el concepto de la mezcla: lo que hace es conservar estas contribuciones singulares al tiempo que las une. La integración se parece más a una macedonia que a un batido de frutas».[5] Éste es, una vez más, uno de los objetivos básicos de la IFS. Se respetan las cualidades únicas de todas las partes, al tiempo que trabajan en armonía con todo el resto.

> Las distintas partes se mantienen separadas, a la vez que se comunican y colaboran unas con otras, mientras el Self dirige esta orquesta interna.

En cambio, en un sistema liderado por un protector, o bien una coalición de las partes es tan dominante que perdemos el acceso a

---

4. Kaufman, Scott Barry (2020). *Transcend: The New Science of Self-Actualization*. Penguin Random House, 117.
5. Siegel, Dan (2018). *Aware: The Science and Practice of Presence*. Tarcher-Perigree, 10.

los recursos del resto, o hay puro caos y conflicto internos donde las partes no dejan de interrumpirse y sabotearse mutuamente, porque no hay un liderazgo estable.

LOS CAMBIOS DE LA VIDA Y EL RECHAZO

Cuando empezamos a atisbar un proyecto liderado por el Self, es habitual que las partes reaccionen homeostáticamente. Cuanto mayor sea nuestro proyecto, mayor será su rechazo. «No te engañes —dirán—. ¿Quién te crees que eres para poder hacer eso?» o «¿Para qué? ¡Todo está tan jodido que nunca servirá de nada!» o la famosísima «¡No puedes vivir de eso!».

Cuando concebí la IFS y me planteé dedicarle la vida, me encontré con todas esas reacciones y más. Tras concebir mi proyecto, tuve que trabajar con mis partes sólo para manifestar las primeras etapas, y mis partes rechazaban cada paso del camino. Este libro supone un paso más osado en el viaje de tratar de llevar la IFS a un público más amplio, y aquí están otra vez esas voces: en el momento justo. La diferencia es que ahora esas partes confían en mi liderazgo, así que no arman tanto escándalo ni son tan duras como en el pasado, y responden bien cuando las reconforto. Saben que si a alguien no le gusta este libro e incluso lo atacan por alguna razón, a ellas no les pasará nada, porque yo las cuidaré. Éste es el tipo de trabajo que te permitirá seguir tu propio proyecto. Embarca a todas tus partes en el viaje: no es necesario exiliar ni invalidar a los disidentes.

Una advertencia fundada: he tenido clientes que han abandonado carreras lucrativas para ir tras lo que no era más que un leve anhelo interior de toda su vida. Hace poco, un dinámico abogado societario dejó su empresa y volvió a estudiar para ser profesor de gimnasia. No fui yo quien le condujo a ello, pero, al sanar, por fin escuchó y tuvo el coraje de actuar. Semejante cambio requiere mucho más coraje que antes. En estos días, uno apenas puede ganarse la vida dedicándose a los tipos de profesiones más relevantes, mientras que algunos de los empleos más carentes de sentido son los mejor pagados. Ahora bien, las personas lideradas por el Self tienen menos necesidad de cosas materiales, y eso ayuda mucho. Algunos, como mi cliente el abogado, están deseando y son más capaces de encajar el golpe, pero es una lástima que tengan que hacerlo.

No todos mis clientes cada vez más liderados por el Self dejan sus empleos ni dan un giro de 180 grados en su carrera, pero normalmente cambian su vida a mejor en algún sentido. Muchos empiezan a participar en actividades creativas o altruistas que son de por sí gratificantes y les aportan un nuevo sentido. Los proyectos liderados por el Self están a menudo basados en una mayor sensación de conexión con la humanidad y la Tierra, y las personas empiezan a encarnar el deseo de ayudarlas a ambas. Además, cuando estamos liderados por el Self, estas actividades son más satisfactorias, porque estamos presentes en nuestro cuerpo al experimentarlas, frente a una vida de planificación impaciente de la siguiente actividad u obsesión con la posibilidad de estar haciendo algo más productivo o agradable. Cuando estamos liderados por el Self, podemos vivir en el presente, porque ya no tenemos tantas partes heridas y ancladas en el pasado; ya no tratamos de protegerlas preocupándonos por el futuro o planificándolo.

Curiosamente, ¡puede que incluso tengamos partes que nos digan que nuestro proyecto es demasiado pequeño! No obstante, como Charles Eisenstein apunta, «Mucha gente reprime la expresión de sus dones creyendo que debe hacer algo grande con ellos. No basta con las acciones de uno: hay que escribir un libro que llegue a millones de lectores. Qué poco tarda esto en convertirse en una competición a ver qué ideas son escuchadas. Y cuánto llega a invalidar los pequeños y hermosos esfuerzos del grueso de la humanidad; curiosamente, invalida las cosas que debemos empezar a hacer en masa para mantener un planeta habitable».[6]

---

6. Eisenstein, Charles (2013). *The More Beautiful World*. North Atlantic Books, 59.

Cuando la gente se vuelve más liderada por el Self, se sorprende actuando altruistamente sin esfuerzo y sin tanto debate interior, porque, sencillamente, para ella lo natural es querer ayudar a los demás. Eso es porque el Self reconoce que uno y los demás son parte de un conjunto mayor de la humanidad. Es lo mismo que cuando, por ejemplo, nuestra parte furiosa empieza a sentirse más conectada y reconoce que el directivo al que odiaba por lo mucho que trataba de reprimir la ira está también conectado con la entidad mayor: nosotros. Esto lleva a que las partes reconozcan que, cuando un miembro del sistema está herido o cargado, el conjunto del sistema al que ellas pertenecen se ve afectado. Si nos duele la pierna, movemos la mano automáticamente para tratar de aliviarla. Cuando las partes se dan cuenta de que hay un *nosotros* del que son miembros, son cada vez más conscientes de que, cuando una de ellas está cargada, todo el sistema se ve afectado. Naturalmente, empiezan a intentar ayudar y a preocuparse unas de otras a raíz de ese conocimiento. ¡Se vuelven pensadoras sistémicas! Y cada vez confían más en el liderazgo del Self, dentro y fuera. En consecuencia, apoyan nuestro altruismo externo sabiendo que no nos vamos a enfocar sólo en el exterior.

> El Self reconoce que uno y los demás son parte de un conjunto mayor de la humanidad.

Así pues, cuando las personas están cada vez más y más lideradas por el Self, cada vez se las motiva más para actuar en pro de la sanación de la humanidad y la sanación de nuestro planeta. En el momento actual, hay una necesidad apremiante de más Self en todos los niveles. ¡Imagina cómo sería si todos nuestros líderes supieran del liderazgo del Self y lo practicaran! Éste es el tipo de proyecto mayor que se me ocurrió hace años y desde entonces me apasiona. Nunca pensé que yo y otros pudiésemos llevarlo tan lejos durante el curso de mi vida, pero es tanto lo que hemos hecho que ya no me parece una quimera.

EJERCICIO: SIMULACRO DE INCENDIO

Y ahora quiero proponerte que pruebes un ejercicio que te ayudará a experimentar parte de este liderazgo del Self del que he estado hablando. Empieza pensando en una persona de tu vida (del pasado y del presente) que realmente te provoque. Quizá te hace enfadar o entristecer, o se trata de alguien a quien le cerraste el corazón en un momento dado.

En el ojo de tu mente, deja a esa persona sola en una estancia, para que esté contenida y no pueda salir ahora mismo. Ahora mira a la persona por algún tipo de ventana y, mientras contemplas a la persona desde fuera —desde la seguridad de no hallarte en esa estancia—, hazle hacer o decir las cosas que te molestan, y fíjate en lo que sucede en tu cuerpo y tu mente cuando tu protector interviene. Es decir, fíjate en lo que provoca tu protector en tus músculos, en tu corazón, y nota qué clase de impulsos tienes. Comprueba también tu propia respiración. Nos estamos limitando a percibir las consecuencias de una parte protectora en tu cuerpo y en tu mente.

Ahora vuelve a mirar a la persona desde ese lugar y hazte una idea de cómo te ve con los ojos de este protector. Tranquiliza al protector diciéndole que no piensas entrar en esa estancia, para que pueda descansar un poco. Comprueba si está dispuesto a separar su energía de ti, porque tú ahora mismo no va a ponerte en peligro. Y si accede a extraer su energía de ti, notarás un cambio palpable en el cuerpo y la mente cuando suceda.

¿Qué tal te notas los músculos ahora? ¿Y el corazón? ¿Y la respiración? Presta también atención a lo que está sucediendo en tu mente. Y luego vuelve a mirar a la persona de la estancia, a ver si su aspecto ha cambiado en algo. ¿Cómo es ahora la persona?

Seguidamente, vuelve a concentrarte en el protector que interviene cuando te concentras en esa persona. Mira si puedes inspirarle curiosidad ahora que está un poco más separado de ti. Y si puedes hacerlo, pregunte al protector por qué siente tanta necesidad de ser tan fuerte con esa persona. ¿Qué teme que ocurriría si no hiciera eso por ti?

Al responder esa pregunta, es probable que te haya hablado de partes vulnerables a las que protege, así que intenta mostrarle reconocimiento por esforzarse tanto por intentar mantener esas partes de ti a salvo. Observa cómo reacciona ante tu reconocimiento. Pregúntale si tú podrías sanar a esas partes para que no fueran tan vulnerables a esa persona. ¿Tendría la parte que estar tan implicada en tu protección? En vez de eso, ¿qué le gustaría hacer en tu interior?

En este ejercicio no vamos a entrar en la estancia que retiene a esa persona que te provoca. Sin embargo, quiero que te hagas una idea de lo que ocurriría si lo hicieses. Si entrases en esa estancia sintiéndote más liderado por el Self, ¿cómo podrían ir las cosas? ¿Cómo iría en términos de cómo te relacionarías con esa persona?

Si te cuesta imaginarlo, puede ser porque tu protector aún no confía en que dejarte hacerlo no entrañe riesgos. Si *tienes* una idea de lo diferente que sería la experiencia, transmítesela al protector y pregunta qué necesitaría esa parte para confiar en que tú fueras quien liderara con personas que te provocan, como ésta. Y si todavía le da miedo confiar en ti, pide más información al respecto.

Cuando te parezca oportuno, agradece a esa parte lo que haya hecho. Muestra tu gratitud por lo que te haya dejado hacer o saber. Para acabar, empieza a volver a concentrarte en el exterior y haz varias respiraciones profundas, si eso te ayuda.

En este ejercicio, si tu protector, efectivamente, se hizo a un lado, probablemente habrás notado un gran cambio. En tu conversación con el protector, seguramente hayas descubierto algo sobre las partes que protege y lo vulnerables que son. Y puesto que este ejercicio no ha sanado a esas partes vulnerables, es probable que el protector no confíe en ti hasta que estén sanadas. Aun así, es interesante saber por qué no confía en que tú lidies con personas así.

También puede que, cuando el protector se haya ido, te notes el cuerpo distinto y que la persona de la estancia tuviera otro aspecto. Quizá no parecía tan amenazante, quizá has podido ver algo del dolor que te condujo a hacer las cosas dañinas que has hecho.

EJERCICIO: MEDITACIÓN DE LA PERSONA TRISTE

Aquí tenemos un ejercicio parecido que me gustaría que probases. En vez de pensar en alguien que te provoque, quiero que pienses en otra persona con quien has estado cuando ella estaba muy molesta, tristísima y dolida, por ejemplo, y tal vez llorando. Tómate un segundo para pensar en esa persona y, como antes, déjala en la estancia de contención. Mira por la ventana cómo muestra lo herida o triste que está.

Al observarla, fíjate en lo que le sucede en el cuerpo y la mente. Fíjate en los pensamientos que te inspira (aunque no estés muy orgulloso de esos pensamientos), y date cuenta de todas las partes distintas que reaccionan ante esa persona. Siente en qué medida esas partes le afectan al cuerpo. ¿Qué te provocan en el corazón o la respiración? ¿En los músculos, los impulsos? Tal vez notas que hay que partes que dificultan observar a la persona de la estancia. Puede que se sientan impotentes, que quieran retirarse, escapar, mantenerte el corazón cerrado o que actúen de algún otro modo aparentemente protector.

Escoge a una de esas partes y conócela mejor. Dile que ahora mismo tú no tienes que hacer nada por esa persona y que se va a quedar en la estancia. Puede relajarse un poquito y separarse. De ser así, fíjate en el cambio palpable, vuelve a mirar a la persona con esos nuevos ojos e imagínate cómo te gustaría estar con esa persona si tus partes lo permitieran.

Como anteriormente, vuelve a concentrarte en el protector y pregúntale qué teme que pasaría si no hiciera eso en tu interior. ¿Por qué no se fía de que tú te quedes con la persona? Y cuando te parezca que esta parte del ejercicio está completa, puedes agradecer su labor a este protector y empezar a devolver la atención al exterior.

Estos dos ejercicios son ejemplos de cómo nos dedicamos a fomentar el liderazgo del Self. Yo empleo lo que denomino una *estrategia liberadora de represiones* para acceder al Self. En vez de tratar de infundir buenas cualidades en un proceso que hay quien denomina *dotar de recursos*, hago que el cliente se fije en las partes que interfieren en su acceso al Self, luego que conozca a esas partes y que las ayude a confiar en él (en su Self) para lidiar con personas difíciles.

Si esto fuera una sesión completa de IFS, te diría que pidieras permiso para dirigirte a las partes de las que cuidan esos protectores y sanarlas. Al hacerlo, es mucho más probable que los protectores confíen en tu liderazgo.

Es frecuente que los protectores no confíen en nosotros para desempeñar la difícil tarea de la protección, porque creen que el Self es demasiado blando y sólo puede ofrecer cariño y compasión. La experiencia me ha enseñado que el Self está versado en todas las palabras con C relacionadas con ser amable con las personas, incluyendo claridad, convicción y coraje. Así que, cuando veas a través de los ojos limpios de tu Self que alguien está causando dolor a tus partes, no hace falta que lo conviertas en un monstruo. Esa claridad te empodera para ver que tus acciones son producto de tu propio dolor, y también puedes ver mejor, sin confundirte, el daño que causan a tus partes. Eso significa que cuentas con el coraje y la convicción para establecer límites con ellos de un modo eficaz y, si es necesario, muy contundente. Es importante ayudar a tus partes a confiar en que de veras pueden dejar en tus manos el lidiar con las personas y poner límites que protejan a las partes; y que, de hecho, si confían en que lo hagas, el efecto será más decisivo y eficaz. En teoría, es lo que las artes marciales fomentan: la protección desde un lugar no apegado pero poderoso. Al adentrarte en situaciones que te provoquen, es interesante que te fijes en qué te ocurre en el cuerpo y en la mente. Empezarás a notar hilos de los que tirar, que te capacitarán para aprender de las partes que sienten necesidad de proteger. Si tienes ocasión de acceder a un terapeuta o profesional especializado en IFS, puedes recorrer todos los pasos de la sanación con apoyo. Al hacerlo, tus partes irán poco a poco creyendo más en ti y en el futuro no se activarán tanto.

INMANENCIA Y TRANSCENDENCIA

Quiero acabar esta parte del libro estudiando algo más profundamente algunas de las promesas del liderazgo del Self. De entrada, una vez recuperamos a nuestros exiliados y liberamos a nuestros protectores, sentimos más. No es sólo porque estemos más encarnados; también es porque volvemos a experimentar muchas de las emociones que sentimos en la infancia, pero que creíamos que habíamos dejado atrás al entrar en la edad adulta. Eso significa que podemos sentir más el asombro, la alegría y la empatía de nuestros antiguos exiliados, pero también su dolor y miedo. Eso es bueno, sin embargo, porque estar liderados por el Self significa que sabemos cómo consolar mejor a esas partes, y sus sentimientos no nos superan ni mucho menos como lo hacían en el pasado. Estamos menos desconectados y más comprometidos: nos importa verdaderamente lo que ocurre en ese plano.

Paralelamente, es probable que hayamos tenido suficientes experiencias con el estado de onda del Self para saber que en el universo hay muchísimo más que lo que pasa en nuestro interior, y que, en términos absolutos, todo va bien. En ese sentido, nos volvemos menos apegados a lo que sucede en este plano.

Estar liderado por el Self significa respetar por igual ambas verdades: la *inmanencia* —activar por completo nuestra calidad de ser humano— y la *transcendencia* o liberación, saber que hay muchísimo más. Cuando pretendemos negar nuestra vulnerabilidad, perdemos el contacto con el corazón. Si no reconocemos nuestra divinidad, perdemos acceso a nuestra sabiduría y perspectiva. El liderazgo del Self significa permanecer de buen grado y conscientemente en ambas dimensiones: sentir las emociones intensas de nuestras partes sin dejar de estar conectados a nuestra mente trascendente despierta, en estado de onda. Si puedes mantenerlas ambas en tu persona, puedes estar con ambas en los demás.

Algunas tradiciones contemplativas alientan a los seguidores a desdeñar las preocupaciones del mundo externo o a apartarse de éste tanto como puedan. Para algunos supervivientes de traumas, este enfoque es muy atractivo, dado que su experiencia del mundo ha sido dura y dolorosa, y es un alivio contar con un refugio. Al tiempo que nos ayudan a experimentar nuestro Self trascendente, algunas tradiciones también dan a entender que nuestra historia personal (los traumas y el resto) tampoco es tan importante: de hecho, es parte del apego de nuestro ego a lo terrenal y debe trascenderse. Según el prisma de la IFS, este enfoque no hace sino generar más exiliados, o se lleva aún más lejos a los exiliados que ya tenemos. No creo que nada de esto sea necesario. Podemos estar liderados por el Self y pasar temporadas largas en retiros, o incluso llevar una vida monástica, sin ignorar a nuestros exiliados.

Los activistas muchas veces reprenden a los adeptos espirituales. Eisenstein articula esta crítica como sigue: «Si la casa estuviera quemándose, ¿os quedaríais sin más allí meditando, visualizando frescas cascadas para apagar el incendio por medio del poder de la manifestación? Bueno, pues la casa metafórica se está quemando a nuestro alrededor, ahora mismo. Los desiertos crecen, los arrecifes de coral se mueren y los últimos miembros de los pueblos indígenas están siendo exterminados. Y allí estáis vosotros, en medio de todo ello, contemplando el sonido cósmico OM».[7] Naturalmente, el contrargumento frente a este reproche es bastante sencillo: a menos que creemos un mundo interior liderado por el Self, cualquier cosa que hagamos en el mundo exterior acabará siendo liderada por los protectores, con lo cual no cambiará nada (o, en algunos casos, empeorará) de lo que estamos intentando contraatacar.

De ahí que busquemos un equilibrio. Es importante examinar por completo los motivos que desencadenan las actividades internas y externas. ¿Nos supera el sufrimiento del mundo y queremos alejarnos de él? En ese caso, tal vez nos convenga trabajar con nuestros exiliados antes de hallar nuestro equilibrio. ¿Somos activistas porque queremos que todo el mundo sepa lo buenas personas que somos, o porque cargas del pasado nos llevan a ello?

Nunca ha sido tan necesario que las personas lideradas por el Self no se retiren, sino que se impliquen en el mundo. Ahora bien, para estar liderados por el Self, hay que pasar tiempo dentro de uno mismo. Muchos líderes que conozco, incluyéndome a mí, encuentran un ritmo interior/exterior que les funciona. Cuando podemos manejar inmanencia y transcendencia, podemos aportar sanación simultáneamente a los mundos interno y externo.

Como apunta David Dellinger, «¿Primero se cambia a las personas o se cambia a la sociedad? Considero que ésta es una falsa dicotomía. Hay que cambiar ambas a la vez. Si sólo cambia uno mismo sin preocuparse por cambiar la sociedad, hay desequilibrio. Si sólo se cambia a la sociedad, pero no se cambia a uno mismo, hay desequilibrio, como tendía a pasar a finales de los sesenta. Eso sí, hacerlo simultáneamente puede ser exagerado, porque creo que hay épocas en las que uno debe concentrarse o en una o en la otra. Y hay etapas en una sociedad, en una cultura, donde es apropiado hacer hincapié sólo en una o en la otra. Lo que quiero decir es que no perdamos nunca de

---

7. Eisenstein, *The More Beautiful World*, 85.

vista el mundo interno ni el externo, la paz interior y la paz basada en la justicia en el exterior».[8]

Una objeción habitual a la práctica del trabajo interior es que nos volverá más egocéntricos de lo que ya somos. Mi experiencia es más bien la contraria. Cuanto más descargamos a las partes, menos necesitamos cosas materiales o elogios para llenar nuestro vacío. También nos sentimos conectados a los demás, a nuestros cuerpos, a nuestro Self y al SELF.

Aunque nunca he necesitado gran cosa material, en los primeros años de desarrollo y venta de la IFS, mis exiliados anhelaban caricias, y ese anhelo interfería con mi capacidad de expresar el poder de la IFS. Ha sido un gran alivio, más o menos en la última década, haber sanado esas partes y proporcionar IFS más desde el Self. En estos días la gente a veces comenta lo humilde que soy, pero la humildad genuina cuesta de alcanzar. Trabajé mucho internamente sanando a mis exiliados y, a base de pasar tiempo en el estado de onda, he acabado descubriendo que la IFS no es cosa mía. La he recibido con los años como parte de mi proyecto y con la ayuda de muchos, así que la IFS ha sido un regalo y una bendición.

Liderazgo de servicio y contagio.

El liderazgo del Self también podría denominarse liderazgo *altruista*, lo que recuerda mucho al modelo de liderazgo de servicio del mundo empresarial. Iniciado por el ejecutivo de AT&T Robert Greenleaf, el liderazgo de servicio «empieza con la sensación natural de desear servir, de servir primero. La decisión consciente lleva a uno a aspirar a liderar. Esa persona es completamente distinta de quien es *líder* primero, tal vez por la necesidad de aplacar una rara inclinación por el poder o la adquisición de posesiones materiales [...], la diferencia se manifiesta en el esmero puesto en que las necesidades de máxima prioridad de otras personas sean servidas [...]. ¿Quienes son servidos crecen como personas? *Mientras los sirven, ¿se vuelven*

---

8. Dellinger, David T (1970).) *Revolutionary Nonviolence: Essays by Dave Dellinger.* Bobbs-Merrill.

más sanos, sabios, libres, autónomos, y es más probable que ellos mismos acaben sirviendo? ¿Y cuáles son las consecuencias en los menos privilegiados de la sociedad? ¿Obtendrán algún beneficio o, cuando menos, no sufrirán más privaciones?».[9]

En lo que respecta al *servicio*, mi primera advertencia es tener cuidado con el autosacrificio, el cuidado de las partes directivas. Demasiados líderes han exiliado a tantas partes de sí mismos que acaban sobrecargados y quemados. El verdadero liderazgo de servicio sólo funciona cuando un líder tiene acceso al Self y a todas sus partes. Entonces la organización que lidera reflejará la armonía y conexión internas del líder.

Esto nos lleva al tema relevante del *contagio* (también conocido como *resonancia*). Las partes protectoras son contagiosas, en el sentido de que, cuando un miembro de un sistema (en especial el líder) se mezcla con una parte protectora, a menudo activa a protectores de otros, y la cultura de la organización se impregna de esa energía protectora. Del mismo modo, las personas lideradas por el Self sacan a los Self de quienes las rodean. Como cuando un diapasón vibrante activa otro que se encuentra lejos, la presencia de Self en un sistema ayuda a los protectores a relajarse y suscita Self en toda la organización.

> La presencia de Self en un sistema ayuda a los protectores a relajarse y suscita Self en toda la organización.

Antes he aludido al fenómeno de la resonancia en la física, y vale la pena recordarlo en este punto. Como nuestro Self de partícula es un aspecto de un campo vibratorio, vibrará con el Self en otras personas y con el Self en nuestras partes. Cada vez más físicos admiten que cuanto contiene el universo nunca deja de vibrar u oscilar a distintas frecuencias, incluso los objetos estáticos. También han observado que, cuando dos cosas se aproximan una a la otra, empiezan a vibrar a la misma frecuencia: se sincronizan.

Como terapeuta, intento tenerlo presente. Antes de ver a un clien-

---

9. Greenleaf, Robert (1991) *Servant Leadership*. Paulist Press, 13-14.

te, dedico más o menos un minuto a pedir a mis partes que se hagan a un lado y me dejen encarnar, porque la eficacia de la sesión es proporcional a la cantidad de Self que aporto. Me ilusiona formar a consultores sénior de multinacionales como McKinsey, Egon Zehnder y Mobius para ayudar a líderes empresariales y políticos a acceder al Self, que después sacará a la luz los Self de una empresa o país hasta el punto de que el campo de energía del Self impregne la cultura.

Hasta ahora hemos abordado básicamente cómo el liderazgo del Self se manifiesta cuando el Self, en su estado de partícula, pasa a ser el líder activo de nuestros mundos interno y externo. Cuando eso sucede, somos conscientes de estar haciendo algo, ya sea nutrir nuestras partes o denunciando la injusticia. ¿Y cuando el Self se halla en el estado de onda? ¿Hay momentos en los que existimos sin ser conscientes de nosotros mismos o ni tan siquiera de nuestro Self?

El budismo denomina ese estado *anatta*, o no-yo. Son momentos en los que nos quedamos tan absortos en una actividad que el cuerpo se nos mueve sin esfuerzo y perdemos el sentido de separación. El psicólogo Mihaly Csikszentmihalyi acuñó el término *fluir* en los años setenta para describir este estado y lo estudió en diversos contextos. Descubrió que cuando las personas empezaban a fluir lo disfrutaban y las gratificaba enormemente, y llevaban a cabo la actividad asociada por la actividad en sí y no por ninguna recompensa extrínseca.[10] Son ejemplos comunes la ensoñación de los músicos de jazz u otros artistas que se sumergen totalmente en su proceso creativo.

A veces he tenido experiencias de este tipo al practicar deportes. Momentos en los que perdía la sensación de que hubiera un *yo* aparte de mi cuerpo moviéndose de un modo fluido y eficaz. En la universidad, jugaba al fútbol americano de *defensive back*; había momentos en los que parecía que el tiempo se detuviera y yo sabía exactamente qué hacer sin necesidad de pensar. Podía regatear con facilidad a los bloqueadores, porque parecía que se movieran a cámara lenta.

---

10. Csikszentmihalyi, Mihaly (1990). *Flow: The Psychology of Optimal Experience.* Harper & Row.

A veces, cuando imparto IFS, me adentro en un estado similar. Es como si las palabras me salieran sin pensarlas, casi como si estuviera canalizando algo. Siento una calma, convicción y claridad absolutas, pero sin darme cuenta de que tengo esas sensaciones, porque me limito a ser. Esos momentos son también de lo más gratificantes, una de las razones por las que doy tantas clases. Luego me alegro si al alumnado le ha gustado el taller (o le he caído bien), pero no es ése mi motivo principal: me encanta la sensación de fluir que experimento y la impresión de estar cumpliendo mi propósito en esta vida.

Creo que los estados en que se fluye son ejemplos de cuando todas nuestras partes están completamente en consonancia con el propósito o el placer de la actividad, de manera que los Self se mezclan con el nuestro. En cierto modo, se disuelven temporalmente, y nos hallamos en el estado de onda no dual, aunque sigamos siendo funcionales en este mundo.

Estas experiencias de fluir no definen nuestra vida cotidiana, porque casi siempre estamos mezclados con partes que trabajan en el interior para mantenernos a salvo, funcionales y felices. Cuando nos liberamos de las cargas y nuestras partes confían cada vez más unas en otras y en nosotros, nos sentimos cada vez más integrados y tenemos más claro nuestro propósito, con lo que más y más de nuestra vida transcurre en ese estado unificado que es fluir.

Más allá de esas experiencias de fluir, muchas personas han tenido momentos inolvidables en su vida cuando atisbaron el Self puro, en estado de onda. En *El color púrpura*, el personaje de Alice Walker, Shug, describe su momento: «Pero, un día, cuando estaba sentada en silencio y sintiéndome como la niña huérfana que era, me vino a la mente esa sensación de ser parte de todo, de no estar separada de nada. Sabía que, si cortaba un árbol, el brazo me sangraría. Y me reí, lloré y corrí por toda la casa. Sabía exactamente lo que era. De hecho, cuando esto sucede, es imposible no notarlo».[11]

A un gran número de personas, esos atisbos muchas veces les

---

11. Walker, Alice (2003). *The Color Purple*. Mariner Books.

cambian la vida. El psicólogo Steve Taylor recoge como personas de distintas culturas y épocas describen estas experiencias de modos parecidos. Las encuestas han documentado que no están limitadas a los antiguos y famosos místicos. Al parecer, más de un tercio de nosotros ha tenido al menos una de esas experiencias, y un porcentaje más reducido las tiene frecuentemente. Éstas son algunas de las similitudes que se describen:

- Una sensación de que todas las cosas son una. «Nos volvemos conscientes de que, por ejemplo, un árbol y un río —o tú y yo— sólo nos diferenciamos en el modo en el que dos olas del mar parecen ser independientes y distintas. En realidad, ellas —y nosotros— son parte del mismo océano del ser».
- Una consciencia de que no sólo estamos conectados a cuanto hay en el mundo, sino que también accedemos a «un *self* mucho más estable, arraigado y expansivo, al que el rechazo no puede hacer daño, que no está constantemente anhelando atención y es libre de las ansiedades que oprimen al ego».
- Compasión y amor por quienes nos rodean, pero también por «toda la raza humana y por todo el planeta».
- Una nueva sensación de claridad y sabiduría que incluye el sentimiento apaciguador de que todo está bien. «Tenemos desde un principio la sensación de que todo está bien, de que por alguna extraña razón, el mundo, lejos de ser el lugar fríamente indiferente que la ciencia nos cuenta que es […] es un lugar benigno. Que no importa qué problemas llenen nuestra vida y lo atestado de violencia e injusticia que esté el mundo […], que todo está bien, que el mundo es perfecto».
- Una sensación vibrante que nos recorre el cuerpo y va acompañada de un sentimiento de intensa felicidad. «No es una felicidad *por* algo […], está ahí, sin más, es una condición natural del ser».
- Un menor miedo a la muerte y la convicción de que la muerte no es más que un tránsito.[12]

---

12. Taylor, Steve (2010) *Waking From Sleep: Why Awakening Experiences*

He tenido versiones de estas experiencias meditando, pero con mayor certeza en sesiones con ketamina con una guía liderada por el Self. Mary Cosimano, que coordinó casi dos décadas la investigación sobre la psilocibina en la Universidad Johns Hopkins y guio cerca de cuatrocientas sesiones, asegura que «la psilocibina puede brindar un modo de volver a conectar con nuestra verdadera naturaleza —nuestro auténtico yo— y así ayudar a encontrar significado en nuestra vida [...]. Creo que la naturaleza de nuestro verdadero yo es el amor».[13]

¿Qué hacemos con estas experiencias y su coincidencia en las personas? Muchos de quienes las tienen sienten que están conversando con Dios y las interpretan como experiencias místicas o espirituales. Por otro lado, algunas personas de mentalidad científica, como el médico Alex Lickerman, consideran estas experiencias mera actividad cerebral. «La razón de que las descripciones de experiencias de despertar sean tan uniformes acaba siendo pura y dura: la condición de vida de la iluminación no está basada ni en una ilusión generalizada ni en una ley mística o entidad supernatural, sino en la neurobiología del propio cerebro [...]. Resulta que todas las cosas que han descubierto que inducen experiencias de despertar —desde la meditación a las convulsiones, pasando por el uso de sustancias psicodélicas como la psilocibina— inducen cambios mesurablemente idénticos en el cerebro».[14]

El Self es una esencia espiritual de nuestro interior y nuestro alrededor, como un campo, que pude acallar esa parte pensante del cerebro.

La interpretación menos materialista (y aguafiestas) de esa observación neurológica es que tiene lógica que la misma zona cerebral se

---

Occur and How to Make Them Permanent. Hay House.

13. Cosimano, Mary. Love: The Nature of Our True Self: My Experience as a Guide in the Johns Hopkins Psilocybin Research Project, *MAPS Bulletin Annual Report 24,* n.º 3 (invierno de 2014): 39.41, maps.org/news-letters/ v24n3/ v24n3_p39-41.pdf.

14. Lickerman, Alex, y ElDifrawi, Ash (2018). *The Ten Worlds: The New Psychology of Happiness.* Health Communications, 296.

apague si todas estas experiencias son aberturas al Self puro. Para mí, el Self no es un estado cerebral: es una esencia espiritual de nuestro interior y nuestro alrededor, como un campo, que pude acallar esa parte pensante del cerebro. Espero algún día llevar a cabo un estudio donde los sujetos accedan al Self por medio de la IFS y comprobar si se desactiva la misma parte del cerebro.

Así que, a mi modo de ver, se trata de lo que Ken Wilber denomina «experiencias de atisbos», en el sentido de que alcanzamos a entrever un atisbo o destello del Self puro que siempre está ahí.[15] Lo que ocurre es que normalmente está eclipsado por nuestras partes y sus cargas. En efecto, estamos dialogando con Dios, si consideramos que el Self es Dios en nuestro interior.

Las cualidades arriba enumeradas de la investigación de Taylor son notablemente parecidas a las ocho C que antes hemos abordado: conexión y claridad (somos parte del mismo mar); calma y convicción (todo está bien); compasión por todo el mundo y coraje (no más miedo a la muerte). Podemos imaginar que las personas también acceden a las otras dos C: curiosidad, en términos de asombro ante la totalidad de la experiencia, y creatividad, en la forma de las epifanías que a menudo se refieren.

Estas experiencias de «atisbos» en las que se accede al Self puro y nos sentimos conectados a todas las cosas, ¿crean una mentalidad distinta? Los investigadores Kate Diebels y Mark Leary diseñaron una breve «escala de creencia en la unidad» y correlacionaron el grado en el que una persona tiene esas creencias con sus valores generales. En su escala emplearon los seis ítems siguientes:

1. Más allá de la apariencia superficial, todas las cosas son fundamentalmente una.

2. Aunque existen muchas cosas aparentemente separadas, son todas parte del mismo todo.

---

15. Wilber, Ken (1998). *The Essential Ken Wilber: An Introductory Reader.* Shambhala.

3. Al nivel más básico de la realidad, todas las cosas son una.

4. La separación entre cosas individuales es una ilusión; en realidad, todo es uno.

5. Todo está compuesto de la misma sustancia básica, ya la consideremos espíritu, consciencia, procesos cuánticos o cualquier otra cosa.

6. La misma esencia básica impregna todo cuanto existe.

Concluyeron que quienes obtenían un mayor puntaje en esta escala tenían muchas más probabilidades de identificarse y sentirse conectados con personas alejadas y con aspectos de la naturaleza que quienes tenían puntajes más bajos. También era más probable que experimentaran compasión por el bienestar del prójimo, al sentirse conectados a una humanidad común, problemas comunes e imperfecciones.[16] Dicho de otro modo, experimentar un estado de puro Self cambia a las personas. Cuando los velos de la separación se disipan y esas personas experimentan la realidad de nuestra interconexión, se vuelven más lideradas por el Self dentro y fuera.

Ralph de la Rosa sugiere que al menos su versión del budismo se ajusta a esta postura. «Puede parecer que tenemos que generar la sensación de apertura, frescura, felicidad, ensoñación o quietud que acariciamos en esos momentos. Desde la perspectiva budista, no obstante, ese estado del ser ya está en nuestro interior y lleva allí desde el principio. Es tentador pensar que quizá la expansividad espera a que la descubramos en nuestro interior, mientras andamos buscándola por todas partes. No es algo a lo que nos dirijamos, sino más bien lo que nos queda cuando todos nuestros correteos cesan. Nuestra naturaleza más profunda es sencillamente lo que permanece cuando abandonamos la tarea interminable de intentar ser alguien».[17]

---

16. Kaufman, Scott Barry. What Would Happen If Everyone Truly Believed Everything Is One? *Beautiful Minds* [blog], *Scientific American*, 8 de octubre de 2018, blogs.scientificamerican.com/beautiful-minds/what-would-happen-if-everyone-truly-believed-everything-is-one.

17. De la Rosa, Ralph (2018). *The Monkey Is the Messenger: Meditation and What Your Busy Mind Is Trying to Tell You*. Shambhala.

TERCERA PARTE

Self en el cuerpo, Self en el mundo

CAPÍTULO NUEVE

Lecciones de vida y atormentadores[1]

Estamos aquí para aprender una serie determinada de lecciones de vida, y la programación de lecciones ya está en nuestro interior. Cada uno de nosotros lleva consigo cargas por legado heredadas de nuestra familia y cultura, y cada uno de nosotros también acumula gran cantidad de cargas personales por el camino. Así que nuestra programación de lecciones empieza soltando estas cargas, lo cual prepara el terreno para la lección más importante de todas: averiguar quién somos en realidad.

Para empezar, averiguamos quién no somos. Para eso hay que identificar las creencias y emociones extremas cargadas por nuestras partes que han gobernado (muchas veces inconscientemente) nuestra vida, y determinar que no nos pertenecen. Entretanto, llegamos a conocer a nuestro Self y a estar liderados por el Self. Ni que decir tiene que el viaje no es siempre unidireccional ni tranquilo.

Me llevó un tiempo darme cuenta de que no soy inútil y patético. Aquello no eran más que creencias que mis exiliados arrastraban al haber sido criados por un padre frustrado. Durante años me las apañé bastante bien en el mundo, pero tenía una sensación subyacente de que tomaba el pelo a la gente, y el deseo de contrarrestar

---

1. N. de la E. En el original en inglés el autor utiliza *Tor-Mentors* creando un juego de palabras en el que refiere tanto a atormentadores como a mentores.

esa sospecha me llevaba a desarrollar mi potencial. Y cuando estaba en compañía de otras personas, evitaba bajar la guardia, por miedo a que entrevieran a mi verdadero yo e hicieran añicos toda mi representación. Seguí igual incluso después de probar el Self por medio de la meditación. De hecho, incluso cuando estaba desarrollando la IFS, esos exiliados todavía entraban disparados para recordarme el patético perdedor que estaba hecho, sobre todo cuando no obtenía las respuestas positivas que perseguía.

Como muchos triunfadores esforzados, yo no trabajaba con ese exiliado hasta verme obligado a hacerlo. Fue necesario que amigos del gremio de la IFS me dijeran que mis protectores estaban interponiéndose en mi camino para ser un buen líder. Por fin me tomé en serio sus comentarios, lo que no era poca cosa. Conllevaba conocer y descargar a aquel niño de mi interior que estaba anclado en una época en que mi padre le gritaba y le decía que «no servía para nada».

En gran parte, yo ya sabía que sí servía para algo, pero ese pequeñajo solitario no. Tras recuperarlo y liberarlo de sus cargas, también tuvo que aprender esa lección, y entonces pasó a ser un torbellino de alegría interior. Del mismo modo, cuando mi parte gran triunfadora se tranquilizó un poco, pude disfrutar más plenamente de estar vivo sabiendo que lejos de ser inútil, era un hombre digno de afecto y afectuoso. Esta certeza en lo más profundo de mi ser me dio más coraje para llevar la IFS a un mundo escéptico, y en la actualidad sigo haciéndolo.

Esto es lo importante del asunto: somos seres sagrados, al igual que nuestras partes, al igual que la Tierra. Demasiada gente muere sin saberlo. Una de las razones por las que sigo adelante es la esperanza de que la IFS pueda cambiarlo.

Cuando sabemos quiénes somos —cuando estamos en el Self—, automáticamente nos relacionamos con el prójimo desde esas palabras con C y, por lo tanto, sabemos cómo comunicarnos eficazmente. Una buena comunicación requiere calma, claridad, creatividad y compasión. Como muchas otras actividades de desempeño, el principal reto no reside tanto en dominar una habilidad determinada como en convencer a los directivos, que nos vuelven tímidos y teme-rosos de fallar, de que confíen en que nuestro Self lleve las riendas.

Cuando eso ocurre, ya no cuesta tanto como antes reparar rela-ciones rotas, porque podemos trabajar mejor con nuestras partes minimizadoras o las que arrastran vergüenza. Podemos tranquilizar a esas partes al momento diciéndoles que nuestro error no nos con-vierte en malos y no nos castigarán como de pequeños. Además, podemos estar presentes con el dolor de la otra persona sin necesidad de arreglarlo o cambiarlo, porque podemos estar presentes de ese modo con partes de nosotros cuando sufren. El modo en el que nos relacionamos con nuestras partes se traduce di-rectamente en cómo nos relacionamos con las **Somos seres sagrados,** personas cuando se parecen a nuestras partes. **al igual que nuestras**

En la misma línea, si no nos asusta nuestra **partes, al igual que** propia ira, podremos mantenernos liderados por **la Tierra.** el Self cuando alguien se enfade con nosotros. El juicio que esa persona haga de nosotros no activará a nuestros críti-cos internos, porque sabemos quiénes somos y porque esas partes críticas de nosotros se han retirado o han adoptado nuevos roles. Muchos de los obstáculos presentes en nuestras relaciones lo están porque tememos el caos que el comportamiento de otra persona generará en nuestros sistemas internos. Cuando el Self está al man-do, desaparece el caos.

Como antes, no estoy prometiéndote que estarás liderado por el Self en todo momento. Sin embargo, incluso cuando no lo estés, empezarás a notarlo. Y cuando una parte toma el control y hieres a alguien, sabes interrumpir lo que estés haciendo, conseguir algo de sitio, escuchar a la parte y volver y hablar *por* ella en vez de *desde* ella. Habla por tus partes desde un lugar del Self empático, para re-parar las cosas con la persona a la que has herido.

Al aprender estas lecciones de vida y estar más liderados por el Self, tenemos la suerte de contar con muchos maestros excelentes. No me refiero a los gurús, sacerdotes, profesores, padres o madres, aunque sin duda nos ayudan a aprender nuestras lecciones si ellos han aprendido las suyas. Me refiero a las circunstancias y personas difíciles que nos hacen saltar: nuestros *atormentadores*. Al atormentarnos, nos orientan sobre lo que debemos sanar. Es decir, las emociones que provocan suelen ser valiosos puntos de partida. Si en vez de mezclarnos con esas emociones o creencias las investigamos y nos separamos de ellas, nos conducirán a exiliados clave como mi pequeñajo inútil.

Si los atormentadores son tan valiosos es porque muchas veces no somos conscientes de esas partes hasta que ellas o sus protectores se activan. Nuestros directivos los habían enterrado en un lugar tan recóndito del interior que no teníamos ni idea de su existencia. Puede que nos provocaran una sensación molesta, pero nuestros directivos encontraron un modo de distraernos, para que no nos adentrásemos ahí.

El modo en el que nos relacionamos con nuestras partes se traduce directamente en cómo nos relacionamos con las personas cuando se parecen a nuestras partes.

He tenido la suerte de tener muchos atormentadores a lo largo de mi vida, aunque en ese momento no lo supiera; mis padres, por ejemplo. Un buen número de ellos eran, de hecho, clientes, en especial quienes eran altamente sensibles al más mínimo cambio en mi presencia. Tenían unos detectores de partes asombrosos. Si me distraía, me impacientaba o adoptaba un papel directivo, aunque fuese ligeramente, me cantaban las cuarenta. Aunque solían ser reacciones exageradas, no tardé en aprender que de nada servía tratar de subrayarlo, así que acabé valorando esos episodios. Incluso si mis clientes malinterpretaban mis motivos o ideas sobre ellos, normalmente detectaban con precisión a un protector en mí que yo debía analizar. Yo me disculpaba ante el cliente, y eso me parecía de lo más terapéutico, porque la mayoría de ellos tenían unas intuiciones que nunca les habían reconocido. Y luego también trabajaba con mi propio terapeuta entre sesiones para que me ayudara a hacer el seguimiento y sanar a las partes que encontraba.

Mi esposa Jeanne tiene mucho mérito por los cambios positivos que la gente ha observado en mí a lo largo de los años que llevamos juntos.

Ella ha desafiado a mis partes desconsideradas, narcisistas y que trabajaban en exceso de modos que resultaban dolorosos pero, en última instancia, sanadores. ¡Hemos sido unos atormentadores de excepción el uno para el otro! Y me enorgullece decir que aún nos ayudamos mutuamente a sanar de ese modo, sobre todo después de grandes peleas.

Con esto no pretendo insinuar que toda persona o hecho que nos fastidie sea un valioso atormentador. Y, desde luego, no pretendo defender la continuación de relaciones de maltrato con el objetivo de aprender alguna lección. En ese caso, la mejor lección es probablemente cuidar de uno mismo y salir de ahí.

A pesar de haber arrancado este capítulo con la idea de que todos estamos aquí para aprender una serie determinada de lecciones, siempre me ha dado escalofríos la creencia New Age de que todo lo que ocurre es para enseñarnos algo. Tampoco soy muy amigo de los conceptos occidentalizados erróneos del karma. Nos pasan cosas malas que no tienen nada que ver con lecciones ni con cómo nos portemos en esta vida (o las anteriores). Ahora bien, cuando las partes se activan, nunca está de más prestar atención y ocuparnos de ellas. Quizá una lección de ello es que las partes confíen en que lidiemos nosotros con la persona o la situación complicada que tenemos por delante, como cuando yo me estaba ahogando.

Cuando las partes se activan, nunca está de más prestar atención y ocuparnos de ellas.

Si nos tomamos en serio esta perspectiva, la vida se convierte en una interesante serie de oportunidades de aprender esa gran lección de quién somos en realidad (el acrónimo AFGO [*otra pu**a oportunidad de crecer*, por sus siglas en inglés] viene a la mente). Naturalmente, no siempre es tan fácil hacer el giro de 180 grados necesario para obtener la siguiente línea del currículum. Nuestros protectores suelen ser convincentes al transmitir el mensaje de que el atormentador que tenemos delante es el verdadero problema; y a veces, desde luego, están en lo cierto. Sin embargo, incluso entonces, su lección es confiar en que nuestro Self los cuidará y manejar la interacción lo mejor que podamos.

EJERCICIO: MAPEO AVANZADO DE LAS PARTES

Antes ya has hecho una versión de este ejercicio (Mapeo de las partes). Ésta es la versión avanzada, porque utilizarás atormentadores para localizar y trabajar con cualquier diente de ajo que haya activado la persona o el hecho.

Aquí tienes un ejemplo personal: a primeras horas de la mañana estaba trabajando arduamente en una presentación y de pronto caí en la cuenta de que me había olvidado de sumarme a una llamada importante con mis cinco hermanos para resolver algunos temas de negocios. También había un abogado, y yo fui el único hermano que no se presentó. Soy el mayor de los seis y nunca fui el típico hermano mayor; quiero decir que probablemente era el menos responsable. Al irnos haciendo mayores, mi padre me censuraba bastante por ello. Tengo un crítico que sabe imitar a mi padre bastante bien cuando la cago, y ese día enseguida noté a esa parte poniéndose en marcha. Aunque ha cambiado bastante con los años, cuando cometo cualquier clase de error notable, sigue haciendo de las suyas hasta cierto punto. Y su intervención siempre trae a un exiliado, lo que significa que noto un torrente de vergüenza apoderarse de mi cuerpo.

Me sentí decepcionadísimo cuando ocurrió esto. Después de lo mucho que había trabajado conmigo mismo, creía estar más allá de ese grado de reactividad interna. No obstante, como estoy decidido a emplear esos episodios para crecer, llamé volando a la persona con quien pacto las sesiones y utilicé el incidente completo como el centro de más trabajo sanador.

Te cuento esta anécdota para inspirarte a pensar en una situación que te gustaría estudiar más y saber de las partes implicadas. Ahora bien, antes de empezar, quiero señalar que vas a aprender algo de los exiliados que tus otras partes protegen. No te acercarás al exiliado, pero hay gente para la que saber de sus exiliados puede ser una provocación. Si en algún momento notas que el ejercicio te supera, detente, déjalo, comprueba cómo te sientes y recuerda a tus partes que sigues ahí. Si te es útil, vuelve a entrar; en caso contrario, sáltatelo.

Piensa en algún momento en el que algo te hiciera saltar notablemente. Al pensar en esa situación, fíjate en las partes activadas y luego escoge a un protector de ese diente de ajo en el que concentrarte. A continuación, dedica tu atención exclusivamente a ese protector, y observa lo que sientes por él. Y si sientes algo radical por él —por ejemplo, si ye asusta—, no es más que otra parte de ti, así que traslada tu atención hacia esa parte por un instante. Como hicimos anteriormente con el ejercicio del dilema, percíbelos a ambos: al protector original y al que tiene mala disposición al respecto, y cómo luchan en tu interior. También puedes percibir si hay algún otro protector que intervenga para aliarse con uno de los bandos o hasta para adoptar una tercera postura. De momento, no estamos interactuando con ninguna de esas partes; sólo estamos haciéndonos una idea de esa red que surge en torno a este factor desencadenante en tu vida. Por lo pronto, estamos conociendo a los protectores. En algún momento, mientras observas este baile de tus protectores, intenta abrir la mente más hacia ellos para saber de ellos. Si no lo logras, no pasa nada: dedica el ejercicio a percibir y listo. Si te despierta interés todo lo que aborda esta actividad, sigue adelante y pregunta a cada uno por la vulnerabilidad que protege. ¿Qué teme que ocurriría si no adoptara su posición?

Si tus protectores responden a esa pregunta, empezarás a saber de los exiliados que suscitan estas respuestas extremas. Y sin dirigirte directamente a esos exiliados, comprueba hasta qué punto puedes hacerte una idea de ellos. ¿Puedes adivinar cómo son? ¿Puedes ser más consciente de su vulnerabilidad?

Saber más sobre lo que tus protectores intentan cuidar puede ayudarte a abrirles más el corazón al hacerte una mejor idea de aquello a lo que se enfrentan y todo lo que está en juego.

A menudo, estos protectores son como padres o madres que tienen un hijo extremadamente vulnerable. Se pelean y polarizan a la hora de decidir el mejor modo de proteger a ese hijo, porque es mucho lo que está en juego si el niño se hace daño. La diferencia es que esos protectores no tienen suficiente edad para ser padres o madres: normalmente también son jóvenes, el rol les viene grande y sólo intentan hacerlo lo mejor posible.

Que sepan que lo entiendes todo. Diles que seguirás trabajando con ellos. E informa a los exiliados que eres consciente de que están ahí: hoy no puedes charlar con ellos, pero, en algún momento, intentarás ayudarlos también. Recuerda que lo que ocurre en ese mundo interior tiene implicaciones tremendas en lo que pasa en el mundo exterior.

Lo que ocurre en ese mundo interior tiene implicaciones tremendas en lo que pasa en el mundo exterior.

Ahora concéntrate de nuevo en el afuera y devuelve la atención a este mundo exterior. Estás saliendo de tu mundo interior, pero no lo estás olvidando.

Para algunos de los lectores, me imagino que este ejercicio ha sido algo difícil, sobre todo al saber de los exiliados. Puede ser desconcertante saber que están ahí y, a veces —aunque haya dicho que no hay que dirigirse a ellos—, uno se ve afectado por su dolor, espanto o vergüenza, así como los tipos de creencias que llevan a cuestas. Eso puede inquietar a los protectores que llevan todo este tiempo tratando de mantenerlos contenidos. No es raro sentirse algo abrumado, y entiendo que puede costar. Muchas veces, al tocar a un exiliado aunque sea ligeramente, hay un gran rechazo de las partes protectoras asustadas o partes que ahora tal vez quieran rechazarnos. No obstante, si logras mantener la perspectiva de que es sólo porque están asustados, entonces puedes tranquilizarlos y ayudarlos a recordar quién eres. Y a lo mejor eso te ayuda a no perder el norte.

Eres una persona dotada de coraje, convicción, claridad, que se siente conectada y con los pies en el suelo. Si sientes alguna vocecilla que te dice que no es así, que sepas que esos mensajes proceden de partes que no saben quién eres. Recuerda que frecuentemente te creen mucho más joven de lo que eres. Va bien no mezclarse con ellas ni entrar del todo en su mundo; en su lugar, hay que tranquilizarlas, separarse de ellas y ayudarlas a confiar en que esas exploraciones son duras, pero tú puede llevarlas a cabo porque ya no eres un chiquillo y estás aquí para ayudarlas *a ellas.*

EJERCICIO: TRABAJAR CON DETONANTES

Si el último ejercicio activó a alguna de tus partes, aquí tienes una práctica que te ayudará con ello.

Fíjate en lo que te sucede en el cuerpo y la mente tras haber pasado unos minutos en ese mundo interior. Si el hacerlo has activado alguna parte, en lugar de mezclarse con ellas, percíbelas. Al hacerlo, pídeles que se separen sólo un poco de ti para que puedas estar *con* ellas sin *ser* ellas y, si es posible interésate por sus detonantes desde ese estado más separado, limítate a preguntar por qué esto les ha costado tanto. ¿Qué quieren que tú sepas? Y al estar con ellas y no en ellas, prueba a tranquilizarlas diciéndoles que sigues ahí. Recuérdales que no eres pequeño y que también puedes ayudarlas. Que comprendes que es un trabajo duro y que asusta a algunas de tus partes, pero que estás con ellas.

Cuando estés con esas partes de este modo compasivo, recuérdales que tú también llevas mucho tiempo cuidando de ellas y de ti mismo. Algo sabes sobre cómo ayudar a todo el mundo a sentirse mejor y te dispones a actuar a partir de lo que sabes. Cuando te parezca oportuno, haz lo que te ayude a volver a concentrarte en el exterior.

Espero que hayas podido hacer estos ejercicios y descubrir cosas sobre tus protectores y aquello que protegen. Cuando trabajo con parejas y tienen un conflicto, les pido que se detengan, que se concentren en su interior y que lleven a cabo alguna versión de estas prácticas. Hago lo mismo cuando mi esposa y yo discutimos. Los dos nos detenemos, nos damos un rato, nos concentramos en el interior, encontramos las partes que se encargan de hablar, las escuchamos, prestamos atención a lo que protegen y luego volvemos a juntarnos y nos pronunciamos en nombre de esas partes desde una postura más empática. Cuando de veras podemos hacerlo, la diferencia es abismal. No siempre lo logramos del todo, pero en general da mejores resultados que cuando dejo que mis protectores tomen las riendas y sean ellos quienes hablen.

Demasiadas interacciones son guerras de protectores. Lo vemos en empresas, en familias y en la política. Países como los EE. UU. se llenan de polarizaciones porque las partes de cada bando toman el mando y hablan entre ellas. Cuando una parte **Demasiadas interacciones son guerras de protectores.** se radicaliza, provoca que el protector de la otra persona se radicalice por igual, o incluso más, y toda la dinámica va a más con el tiempo. Sucede especialmente cuando ningún bando confía en el liderazgo general y tiene un gran número de exiliados. Esto es aplicable a todos los niveles de sistemas humanos.

Estoy al frente de formaciones para mediadores, expertos en resolución de conflictos y activistas sociales. A todos les parece de ayuda este proceso. Un comentario como «Una parte de mí se ha sentido muy provocada por lo que acabas de decir y, por debajo de esa parte de mí, había una parte que se sintió dolida» expresa un mensaje muy distinto del de «No me gusta para nada lo que acabas de decir». Asimismo, conduce a resultados prediciblemente distintos. Estar liderado por el Self y representar a nuestras partes no consiste sólo en pasar tiempo en nuestro mundo interior. También tiene que ver con cómo vivimos en el mundo exterior y nos relacionamos con otras personas y sus partes.

CAPÍTULO DIEZ

Las leyes de la física interna

Una mente maravillosa —una película sobre el famoso matemático John Nash—empieza sin que el espectador comprenda que todo cuanto ve es a través de los ojos de una parte paranoide del protagonista. Es un ejemplo magnífico de lo que las personas viven cuando los protectores se mezclan a conciencia.

En un momento dado, Nash se separa de su parte paranoide (Parcher, interpretando por Ed Harris) y, junto con él, nos damos cuenta de que es sólo una parte que ha tomado el control de su mente. Ignorar a Parcher y mantenerlo a raya ayuda a Nash a desenvolverse, lo que logra hacer bien durante el resto de su vida. Para mí, este ejemplo ilustra lo útiles que pueden ser los ejercicios de mindfulness.

En la IFS, daríamos un paso más. Nos dirigiríamos a Parcher para saber lo que está protegiendo. Al final de la película, Nash mira a Parcher, que le devuelve la mirada desde el otro lado de un campo donde está con un grupo de niños pequeños. Todos miran a Nash con tristeza mientras éste sigue con su vida y deja atrás a su protector y sus exiliados.

Todas nuestras partes están ahí esperándonos. Merecen nuestro amor y atención. No obstante, antes de que acercarnos a las partes que más nos asustan nos supere con emociones puras o intensas, hemos aprendido a pedir a esas partes que no nos inunden por completo. Las hemos tranquilizado diciéndoles que si no nos abruman, tenemos más probabilidades de escucharlas y ayudarlas. Resulta que siempre que una parte accede a no atosigar, no lo hará. Ésta es una de las leyes de la física interna. Esta ley nos permite aproximarnos a los exiliados sin convertirnos en ellos. Podemos sentir parte de sus sensaciones y mezclarnos con ellos hasta cierto punto, pero no nos eliminarán como lo hicieron en el pasado cuando hay de por medio ese acuerdo. Y ese acuerdo jamás se ha incumplido en todos los años que llevo practicando IFS.

Por lo visto, las partes pueden controlar hasta qué punto agobian. A la gente le cuesta creerlo, porque muchísimas veces, cuando abren la puerta a sus exiliados, se ven inundados por todos esos sentimientos y no les parece tener control alguno sobre ello. Lo mismo sucede a veces con los protectores. Como hemos visto en algunos de los ejercicios, pueden mezclarse totalmente con nosotros hasta el punto de que vemos a través de sus ojos y pensamos como ellos.

Esta ley concreta de la física interna ha demostrado ser valiosísima en nuestra labor con clientes muy delicados, traumatizados o con diagnósticos importantes aterrados por la posibilidad de que sus partes, en particular sus exiliados, los apabullen. Nos permite adentrarnos en esos sistemas internos sin utilizar las capacidades de estabilización que caracterizan otros enfoques del trauma. Una vez más, resulta que lo único que hay que hacer es pedir a una parte que no atosigue. Si acepta no hacerlo, no lo hará. Las partes atosigan cuando creen —a menudo con razones de peso— que deben tomar el mando por completo o volveremos a encerrarlas. Lo mismo sucede con los exiliados humanos.

Si un cliente se ve abrumado —si tiene un ataque de pánico en mi consulta, por ejemplo—, es porque no hemos suscrito ese acuerdo por adelantado con el exiliado aterrado. Cuando eso sucede, no le digo al cliente que respire profundo, me mire a los ojos o se note los pies en el suelo. Me limito a señalar algo del estilo «Veo que una parte realmente asustada está presente ahora, y quisiera que me dejaras hablar directamente con ella». Entonces, al hablar con esa parte, le hago saber que es muy bienvenida y que me alegra que haya podido escaparse. También le digo que nos costará algo menos ayudarla si no le importa separar su energía sólo un poco, para que mi cliente pueda estar también con ella. La parte presa del pánico me cree casi siempre, y de pronto el cliente se siente seguro, vuelve a acceder a su Self y experimenta compasión por la parte aterrorizada. Y puede estar *con* la parte en vez de transformarse en ella.

Si Nash hubiese acudido a verme para llevar a cabo una sesión y empezara a hablar de todas las personas que querían atraparlo, le preguntaría si puedo hablar directamente con la parte que le estaba diciendo esas cosas horribles. Puede que al principio protestara, diciendo que no era una parte, que era él, pero yo sé insistir. Si entonces me dejase hablar directamente con Parcher, le preguntaría qué teme que ocurriría si él no tomara el control, y le aseguraría que si permitiera a Nash estar con él, podríamos sanar lo que fuera que estuviese protegiendo en el interior. Tal vez harían falta varias sesiones antes de que Parcher confiara en mí lo suficiente para separarse, pero, una vez lo hiciera, Nash le vería en vez de ser él, y podría agradecerle sus esfuerzos por proteger. Y estaríamos camino de sanar al exiliado con el que Parcher intentaba lidiar.

Nada en nuestro interior tiene ningún poder si estamos en el Self y no nos asusta.

Esta ley particular de la física interna no tiene precio. La estoy tratando en estas páginas con tanta profundidad para convencerte de que si uno de tus exiliados o protectores toma el control durante un ejercicio, es posible persuadirle de volverse a separar.

Llegados a este punto, hay otra ley relacionada de la física interna que quiero mencionar, y que hallarás ilustrada en algunas de las sesiones transcritas incluidas en este libro. Nada en nuestro interior tiene ningún poder si estamos en el Self y no nos asusta. Esta ley tampoco se ha desmentido en las décadas que llevo haciendo este trabajo, y ten presente que he trabajado con clientes que albergan partes de lo más intimidatorias y que estaban incluso decididas a herir o matar al cliente o a otra persona. Y entonces hacemos nuestro trabajo juntos, y partes que los clientes llevaban casi toda la vida temiendo —partes que parecen auténticos monstruos o demonios—, de repente no pueden hacerles nada. Los intentos habituales de la parte de controlar o intimidar ahora parecen débiles, porque el cliente ve en qué consiste la parte, y se da cuenta de que esa parte estaba atrapada en un rol.

Dicho esto, también es importante saber que, si una persona *tiene* miedo, esas partes a menudo llevan a cuesta cargas desagradables y pueden ejercer gran poder para que la gente se haga daño a sí misma y a los demás. De manera que estar en el Self y no invadido por el miedo es crucial. También es importante recordar que las partes no son lo que parecen, y si podemos mantenernos centrados con ellas, revelarán sus historias secretas sobre cómo las obligaron a ocupar esos roles extremos. También nos informarán de qué están protegiendo en el interior, tras lo cual podemos ayudar a esas partes a transformarse también.

Para mí, hay algo espiritual en esta segunda ley interna. Si el Self es, en efecto, una gota de lo divino en el interior, entonces es lógico que el Self no mezclado no se sienta intimidado por nada —incluyendo el mal aparente— en el mundo interior, sino que trabaje con convicción (pero también con amor y eficacia) para sanarlo y transformarlo.

PASAR REVISTA

A estas alturas ya has pasado por casi todos los ejercicios de este libro. Por consiguiente, quiero transmitirte algunas recomendaciones o perspectivas.

En primer lugar, si has emprendido alguno de estos viajes sugeridos, puedes encontrarte con que tu sistema interno esté algo agitado. Has tenido el valor de probar una forma diferente y contracultural de conocerte a ti mismo y relacionarte con tus partes que, de entrada, puede ser bastante desconcertante. Esto es así especialmente si lo afrontas a solas, si quienes te rodean no lo comprenden y les cuesta apoyarte.

Quiero reconocer tu coraje y recordarte la importancia de cuidar de ti mismo (y de tus partes) mientras prosigue este viaje. Para ello, es preciso tener paciencia con tus reacciones escépticas o angustiadas. No olvides celebrar muchas reuniones y debates internos, y recordar a tus partes quién eres y quién no, y lo mucho que te importan y puedes ayudarlas.

Eso también conlleva escuchar qué puedes hacer en el mundo exterior para ayudarlas. Puede implicar más distancia con respecto a ciertas personas y más conexión con otras. Podría significar pasar más tiempo en la naturaleza, hacer yoga y prácticas de meditación tranquilizadoras, tomar baños de sales de Epsom o mirar los tipos de películas o programas televisivos que les gusten a tus partes (que puede que no siempre sean de tu agrado). En general, si escuchas, te dirán lo que sería de ayuda. Cuando el neuropsiquiatra y formador de IFS lleva a cabo evaluaciones de medicación, pide a los pacientes que pregunten en su interior si sus fármacos están siendo de ayuda o no. Sus partes te harán saber cómo ajustar la toma o cambiar la propia medicación.

Menciono estas sugerencias de autocuidado ahora porque el siguiente ejercicio puede ser especialmente desconcertante.

EJERCICIO: TRABAJO AVANZADO CON LOS PROTECTORES

Tenemos el lema de que todas las partes son bienvenidas. Ahora bien, hay algunas que nos dan más miedo o vergüenza.

Como ha hecho en ejercicios anteriores, tómate un instante para ponerte cómodo. Si te ayuda respirar varias veces profundo o adoptar una posición como si fueras a meditar, adelante. Empieza dirigiéndote a las partes con las que ya has trabajado. Comprueba cómo les va y recuérdales que estás ahí con ellas y que te importan.

Creo que es imposible crecer en los EE. UU. u otros países con una larga historia de racismo y no llevar consigo esa carga por legado (aunque sí me encuentro con que ciudadanos de algunos países no la llevan). Independientemente de tu raza, independientemente de cuánto hayas trabajado en contra del racismo, sigue siendo probable que una parte tuya siga arrastrando esa carga. Me encanta una historia que cuenta Desmond Tutu sobre subirse a un avión y sentirse orgulloso de que hubiera dos pilotos negros. Sin embargo, durante el vuelo, hubo algún problema técnico, ¡y Tutu se sorprendió preocupándose por que no hubiera un piloto blanco!

Sólo lo explico para destacar que el racismo está presente en todos nosotros. Y si respondemos a esa parte humillándola para que se exilie, lo único que conseguimos es generar más racismo implícito, lo que significa tener aún más puntos ciegos y que siga girando la rueda del sistema mayor del racismo.

Así que ésta es la parte que te propongo que contemples: el racista. El que alberga creencias de supremacista blanco y a veces dice cosas desagradables en el interior de su cabeza. He hecho esta práctica con montones de personas, y me encuentro con que hasta quienes francamente no son conscientes de su propio racismo al principio lo acaban encontrando si tienen paciencia.

No te estoy pidiendo que te acerques a esa parte racista. Sólo quiero que te des cuenta de lo que sientes por ella. Y cuando otra parte opine —especialmente una parte que le diga que sienta vergüenza o miedo de tu parte racista—, dile a ese protector que permitir que te acerques más a la parte racista en realidad la ayudará a cambiar, y que su estrategia del exilio no acaba de funcionar.

Por ahora, tal vez baste con reconocer la existencia de la parte racista y comprometerte con trabajar más con alguien que pueda ayudarte. Aquí tienes algunos recordatorios de la perspectiva IFS para ayudarte:

• Ese racista interno es sólo una parte tuya. Tú, en tu mayoría, no eres así.

• No se trata de carga de racismo insostenible. Como el resto de tus protectores, esta parte se puede también descargar y transformar.

• Tener esta parte no es motivo de vergüenza. El racismo es una carga por legado dominante en esta cultura.

• Si eres como yo y varias personas con quienes he trabajado, esta carga por legado impregna muchas partes, así que no te decepciones si no desaparece del todo tras haber descargado a una de ellas.

A la larga, puede que descubras que esa parte racista es un protector y que es necesario sanar al exiliado que protege para que el protector se libere de la carga. O quizá sencillamente la parte arrastra la carga por legado cultural del racismo y estaría más que dispuesta a librarse de ella cuando le digas que es posible. Como siempre, cuando sientas que has llegado a un lugar donde detenerte, agradece a sus partes todo cuanto han hecho y regresa al mundo exterior. Haz lo que sea necesario para abandonar con cuidado esta tarea y cuidarte.

Mis padres participaron activamente en el movimiento en pro de los derechos civiles, y yo me he considerado activo o al menos simpatizante de los movimientos progresistas toda la vida. Sin embargo, cuando decidí trabajar más directamente en temas de racismo, me escoció encontrar una parte racista en mi interior. No tengo claro por qué, pero ha sido una de mis partes que más me ha costado descargar; aún me visita a veces, y tengo que contrarrestar con calma los impulsos y creencias de esa parte. Es muy joven y está asustadísima. Creo que lo mismo sucede con un gran número de personas, y uno de mis objetivos al respecto es despolarizar el debate sobre el racismo, para fomentar más apertura y sinceridad sobre lo que realmente está sucediendo en nuestro interior.

Hasta poder descargar tus partes racistas, es mucho mejor simplemente ser consciente de ellas. Si das con una, puedes recordarle, de un modo compasivo, que sabes que lleva a cuestas esas creencias, pero que lo que dice y piensa no es cierto. El problema surge cuando entramos en guerra con nuestro racismo interno. Como he dicho varias veces en este libro, entrar en guerra con una parte normalmente sólo consigue reforzarla. Cuando la exiliamos y fingimos que no está, normalmente lo hacemos sólo para sentirnos mejor con nosotros mismos, lo que dificulta mucho más descargarla y contrarrestar el daño que puede ocasionar.

Te animo a seguir un proceso parecido con otras partes que te den vergüenza o miedo: tal vez la que te aporta fantasías sexuales incómodas, la que opina que Donald Trump es genial, la que disfruta en secreto cuando tus amigos fracasan o la que cree que los hombres *son* realmente superiores a las mujeres. Todos tenemos partes que no queremos reconocer, ni tan siquiera ante nosotros mismos. En general, estas partes de nosotros son niños pequeños desorientados. Y al igual que los niños pequeños desorientados externos, merecen recibir nuestra orientación y amor, y no nuestro desprecio, humillación y abandono.

Sesión cuatro: Andy

Como tal vez ya hayas adivinado, me entusiasma la posibilidad de que la IFS pueda contribuir a descargar el racismo interno, así como las cargas de la negación o la apatía, todo lo que constituya un obstáculo a la hora de reconocer el sufrimiento que ha causado el racismo sistémico y actuar para contrarrestar y reparar ese daño. He estado experimentando con varios grupos e individuos, e incluyo aquí esta sesión para ilustrar parte de ese trabajo.

En un podcast reciente, Andy —el entrevistado, que es blanco y está muy implicado en actividades antirracistas— me dejó trabajar con sus partes racistas.

DICK: Andy, si te prestas a ello, sería estupendo trabajar con esa parte tuya que es racista.

ANDY: Estoy abierto a ello. Me provoca y me hace sentir vulnerable, pero no sería coherente con mis palabras si no estuviera abierto a ello.

D: Entendido. Entonces concéntrate en esa parte tuya que arrastra creencias racistas y tal vez a veces dice cosas racistas ahí dentro, a ver si puedes encontrarla en el interior o alrededor de tu cuerpo.

A: Creo que puede tratarse de dos partes: una que me rodea la boca y los labios y otra que cuesta más de encontrar.

D: De acuerdo, comprobemos primero la del alrededor de la boca y observa lo que siente por ella.

A: Tendrá unos cinco o seis años y está en un recuerdo determinado. Siento algo de compasión por él.

D: Díselo, a ver cómo reacciona, y si quiere que tú sepas más de esa escena.

A: La escena es en un restaurante con alguien a quien quiero y en quien confío mucho, y es la primera vez que veo a una persona negra —crecí en una zona residencial y allí estaba muy bien protegido—, así que pregunté a esa persona con quien estaba por qué la piel de aquel hombre estaba sucia. No era más que la curiosidad de un chiquillo, pero al adulto con quien estaba le dio mucho apuro, se apartó de mí, pidió disculpas al hombre negro y me dijo que no volviera a hacer nunca más preguntas como ésa. Y lo que esa parte me dice hoy es que aún teme que su curiosidad pueda herir a ese adulto y herir a personas con la piel del color de la de aquel hombre.

D: Pregúntale si aún vive en esa escena.

A: No, pero aún le preocupa que esas dos personas no estén bien.

D: Bien, entonces vuelve allá con él y ayúdale a ver qué hacen y qué necesitan. Ahora pregúntale que quiere que hagas allí con él o por él.

A: Sólo quiere que esos dos hombres conecten: el hombre al que quiere y el hombre negro, así que estoy ayudando a que suceda. ¡Está contentísimo con ello! Ahora parece que se ha acabado.

D: Bien, entonces llevémonoslo de esa escena a un lugar que pueda gustarle y veamos si le gustaría abandonar las creencias y sentimientos con que se quedó de esa época.

A: Sí, muchísimo.

D: ¿Dónde lleva todo eso?

A: En la garganta. [*El niño de Andy lo suelta todo de la garganta hacia la luz. El niño se siente feliz y llena su cuerpo de coraje y de la certeza de que los adultos también sufren, y de que puede ayudar a los adultos a conectar*].

D: Has mencionado una parte más elusiva. A ver si ahora puedes encontrarla.

A: Cuesta un poco de describir, pero la imagen que me sobreviene es la de una serpiente o soga que tengo enrollada en la columna.

D: ¿Qué sientes al respecto?

A: Algo de miedo.

D: En esta técnica hay una regla, que dice que nada puede hacernos daño si no lo tememos, así que mira a ver si las partes asustadas pueden ir a una sala de espera segura, para que podamos conocer a esa serpiente.

A: Vale, ahora tengo curiosidad. Me está diciendo que le da miedo dejarme verla.

D: Pregúntale por eso... ¿qué teme que podría pasar?

A: Teme que muchas de las personas a las que quiero y que me importan resulten heridas y respondan hiriéndonos a nosotros. Así que es más cómodo ser invisible. Por eso ha estado enroscándose y escondiéndose. A veces piensa cosas de la gente según su apariencia —el color de la piel, los rasgos faciales— y sabe que eso hace daño.

D: Dile que vamos a ayudarla a descargar lo que sea que le hace pensar esas cosas...m no le haremos decirle a nadie nada hiriente.

A: Esta parte lleva conmigo desde los trece años, como consecuencia de que en secundaria me trataran como a un exiliado, debido a mi peso, mis intereses raros, con quién me juntaba y quién no se juntaría conmigo. Una defensa que ideó fue encontrar siempre un modo de sentirse mejor que los demás. Lo trataron realmente mal mucho tiempo y tuvo que esconderse en su interior.

D: Hazle saber que lo entiendes: es de lo más lógico que empezara a juzgar a los demás sólo para sentirse mejor con uno mismo. [*La parte muestra a Andy una escena determinada en el comedor donde él y su grupo de amigos fueron objeto del desprecio de una chica popular, y él se encogió y se sintió humillado y furioso. Andy entra en escena y ayuda al chico a ver que lo que hizo esa chica no tuvo nada que ver con él y se va a hablar con la chica por él. El chico se queda de piedra, porque creía que no se podía plantar cara a los populares y, una vez Andy lo hace por él, está listo para marcharse y Andy se lo lleva al presente*].

D: Comprueba si ahora está listo para descargar todo lo que acumuló de esa época.

A: Sí, está listo: está encorvado sobre los hombros y el cuello. No puede mirar directamente a la gente y tiene que volver la cabeza.

Creo que las partes tienen muchos motivos distintos para aferrarse al racismo o para no involucrarse en luchar contra él.

D: ¿A quién quiere ofrecer todo eso?

A: Al fuego. [*El chico descarga todo lo que llevaba sobre los hombros en el fuego y ahora mide treinta centímetros más. Ahora se da cuenta de que, si llegara a actuar con alguien del modo en el que la chica lo hizo con él, podría tener esa conversación con la persona y disculparse. «Observarme hacer eso con la chica me abrió los ojos», dice. Entonces el chico dota su cuerpo de autoestima y lo que describe como «la capacidad de ver el dolor de esa chica y cómo trataba de sentirse mejor jodiéndonos a nosotros»*].

D: Andy, dile a cada una de estas dos partes que durante un tiempo pasarás cada día a ver qué tal están y vuelve.

En este poco rato, Andy ha conocido a dos partes que son relevantes para su labor antirracista. La primera cargaba con un montón de miedo a ser curioso y abierto con respecto a las personas de otras razas, un miedo en el que Andy tuvo que trabajar mucho para superarlo en su activismo. La segunda parte recurría al racismo para sentirse mejor consigo mismo, como diciéndose «al menos soy mejor que esa gente». Al explorar territorios así, encuentro que las partes tienen muchos motivos distintos para aferrarse al racismo o para no involucrarse en luchar contra él, pero todas las partes con las que he trabajado hasta ahora (incluyendo las mías) son jóvenes, están atascadas en momentos difíciles y se sienten aliviadas al descargarse.

Una vez más, tenemos en marcha uno de los principios esenciales de la IFS: ir a la guerra contra creencias o emociones internas de cualquier tipo a menudo será contraproducente. Escucharlas y sanarlas es el mejor camino, al tiempo que nos relacionamos con ellas con disciplina firme pero amorosa, liderada por el Self, hasta que sueltan sus cargas.

Mientras estudias lo que parecen ter sus lados oscuros, puede que también des con algo que no parezca una parte. A veces nos encontramos voces o imágenes que son bastante desagradables, pero también más bidimensionales que las partes. Las llamamos *cargas desapegadas*, porque parecen fragmentos interiorizados de odio o maldad que nunca se apegaron a una parte; son más bien cargas que flotan libremente. Son lo que algunos sistemas psicodinámicos denominan *introyectos*. Sin embargo, repitamos que una de las leyes de la física interna es que si estamos en el Self y no tememos a ninguna parte, éstas no tienen ningún poder sobre nosotros.

CAPÍTULO ONCE

Encarnación

Cuando nuestras partes empiezan a confiar en nuestro Self, hacen más sitio para que estemos en nuestro cuerpo. Cuando eso sucede, experimentamos más las sensaciones y emociones y, en consecuencia, cada vez nos interesa más mantener nuestro cuerpo estable y sano. Con esta mayor sensibilidad a las respuestas del cuerpo, llega un mayor conocimiento de qué alimentos o actividades son beneficiosos y cuáles pueden ser perjudiciales. Esto conduce a los cambios correspondientes en nuestro comportamiento. Además, los exiliados ya no necesitan utilizar nuestro cuerpo para intentar llamar nuestra atención o castigarnos por ignorarlos, porque pueden dirigirse a nosotros directamente. He tenido a muchos clientes que resolvían problemas médicos crónicos sólo con escuchar lo que sus cuerpos les decían, en vez de tratar de matar al mensajero.

Algunas tradiciones espirituales disminuyen la importancia de la forma física y hasta consideran el cuerpo un obstáculo para la iluminación. Esto es, enseñan que las necesidades y anhelos del cuerpo nos mantienen apegados al mundo material, cuando el objetivo último es trascenderlo. Las hay que van más allá y demonizan el cuerpo y sus impulsos carnales. Sin embargo, las hay que ven el cuerpo como un templo sagrado que debe atenderse con sumo cuidado, porque es el templo del espíritu. Ésta es más la idea que tenemos del cuerpo en la IFS.

Un objetivo primordial de la IFS es que aumentemos nuestra capacidad de estar liderados por el Self en nuestros mundos interior y exterior. Cuanto más exista ese Self en ambas esferas, más se reconectarán y gozarán de armonía y equilibrio los seres que las habitan. Para operar plenamente en los mundos interior y exterior, no obstante, el Self necesita acceder a nuestro cuerpo. El Self necesita encarnarse.

Si tus partes te permitieran hacer el ejercicio del camino de la segunda parte del libro, es probable que atisbaras algo de esta mayor encarnación de la que estoy hablando. Y si no se mostraran tan dispuestas a colaborar, normalmente tienen buenas razones del pasado para no permitirte volver a tu cuerpo.

Para operar plenamente en los mundos interior y exterior, el Self necesita acceder a nuestro cuerpo.

Las personas se desencarnan por razones variadas, pero la primera de la lista es el trauma. Al enfrentarnos a un trauma determinado, nuestras partes creen erróneamente que deben proteger a nuestro Self, así que lo expulsan del cuerpo, razón por la cual tantos supervivientes de traumas dicen verse siendo heridos desde el exterior (y normalmente por encima) de sus cuerpos. Después, nuestros protectores acaban temiendo volver a encarnarse, porque siguen anclados en la escena traumática y creen que tenemos la edad que teníamos cuando ocurrió el trauma, así que muchas veces piensan que están protegiendo a un ser muy joven.

Y entonces, las cargas que acumulamos del trauma parecen energía densa en este mundo interior y ocupan un montón de espacio dentro. Así que no sólo se desencarna el Self, sino que esos otros tipos de energías nos lo ponen más difícil para volver a encarnarnos. El resultado es que la mayoría vivimos de un modo no del todo encarnado, lo que significa que no estamos aportando niveles óptimos de liderazgo del Self a nuestros mundos interior y exterior.

Como he mencionado con anterioridad, cuando iba a la universidad jugaba al fútbol americano. Como resultado, tuve incontables colisiones frontales, algunas de las cuales provocaron conmociones. Era bastante bajito para el fútbol y jugaba de defensa, lo que significaba que muchas veces tenía que lanzarme a toda velocidad sobre un corredor ofensivo que abultaba mucho más que yo y era igual de rápido.

Necesité años de trabajo interior para llegar al punto en que podía sentir mis emociones y sensaciones en el cuerpo tal como podía antes del fútbol... y no era tan sensible antes del fútbol.

Mi padre tenía TEPT sin diagnosticar de la Segunda Guerra Mundial: era capitán de una unidad médica del ejército de Patton y le asignaron la tarea de rehidratar a todos los supervivientes de Dachau cuando liberaron el campo. Temblaba de rabia cuando me zurraba.

Yo trasladaba la ira que sentía por esas experiencias al campo de fútbol. Cuando ese bombero rabioso tomaba el control en un partido, era capaz de derribar a jugadores sin importarme las consecuencias para mi cuerpo. De hecho, apenas me notaba el cuerpo; sólo mucho después del final del partido notaba los moratones. La sensación de poder, el subidón de adrenalina, la rabia liberada y los elogios de mis compañeros de equipo eran en conjunto una combinación potente. En retrospectiva, puedo entender por qué nuestros bomberos son tan poderosos y adictivos. Los elogios se ocupaban de mi inutilidad; el poder, la adrenalina y la rabia hacían sentir fuerte y vivo al chiquillo débil que había en mí. Mucho después de que concluyera mi carrera futbolística, conservaba un intenso deseo de lanzarme sobre alguien y tumbarlo.

Dicho sea de paso, una parte de mí quiere equilibrarse en lo que respecta a mi padre. También heredé de él un montón de buenas cualidades. Era todo un científico, fue valiente en su campo de investigación en endocrinología, y estaba muy comprometido con ayudar al mundo. Todo esto son también legados que han influido en mi camino. Y mi padre también podía ser muy cálido, lo que lo volvía todo más confuso de pequeño, cuando era presa de la furia.

Otra razón por que los protectores nos mantienen desencarnados es que estar en nuestro cuerpo proporciona a los exiliados más acceso a nosotros. Cuando los protectores nos mantienen al menos ligeramente disociados, insensibles o absortos, nunca tenemos que sentir las emociones de los exiliados, lo que significa que es menos probable que se activen. Por eso a menudo cuesta lo suyo obtener permiso de los protectores para reencarnarse.

Piensan con razón que sentiremos mucho más, y les preocupa que nos desborde, porque a menudo creen que somos todavía muy jóvenes y corremos peligro. Además, nuestros protectores tienen más poder para dominar nuestra vida cuando nuestro Self no está encarnado, y resistirán nuestros intentos de encarnación si conllevan abandonar ese poder de proteger.

De hecho, son los protectores quienes a menudo nos convencen de que nos mediquemos. Los fármacos a menudo tienen un efecto desencarnador, razón por la cual pueden reducir determinados síntomas. Cuando estamos medicados, nuestros bomberos se apaciguan, porque no estamos tan activados: no sentimos tanto. Ahora bien, como nuestro Self está menos encarnado, cuesta más llevar a cabo mucha sanación. Con ello no quiero decir que los psicofármacos no sean de ayuda, y sin duda hay momentos en los que nuestro organismo sencillamente necesita calmarse un poco. Sabiendo esto, procura no decepcionarte en exceso si no puedes llevar a cabo mucho trabajo interno cuando los tomas.

Naturalmente, algunos fármacos —en especial los psicodélicos de los que he hablado antes— pueden calmar a los protectores y permitirnos acceder a más Self. La meditación también es así: las de algunos tipos pueden aportarnos más al cuerpo, pero otras las emplean a menudo los protectores para mantenernos más desencarnados. De ahí que siempre valga la pena (y a menudo sorprenda) preguntar a nuestras partes si una medicación o meditación es más o menos encarnadora de nuestro Self. ¿La estamos utilizando para fomentar la sanación o para eludir a los exiliados? Otras razones para desencarnarse incluyen las dietas poco saludables, la falta de ejercicio, la adicción a aparatos y el estilo de vida demasiado ajetreado y sobrecargado estadounidense. Del mismo modo, la obsesión con la forma de nuestro cuerpo y nuestra imagen —nuestra carga por legado del sentimiento de vergüenza por el propio cuerpo y la conciencia de la imagen— conduce a más dietas y a un autoanálisis constante, lo cual también nos desencarna.

Nos venden un sinnúmero de soluciones que nos dicen que hagamos más ejercicio, comamos más sano, bajemos el ritmo y meditemos más. Todos pueden ser hábitos beneficiosos para ayudarnos a reencarnarnos más, pero, a menos que nuestras partes nos apoyen plenamente, acabarán saboteando nuestras soluciones saludables. Una vez que sanamos a nuestros exiliados y nos volvemos más liderados por el Self, no tenemos que esforzarnos tanto para hacer cosas que son buenas para nosotros: las disfrutamos por naturaleza y ya está. Nuestros protectores dejan de llevar el volante (de todos modos, son demasiado jóvenes para tener el carné de conducir) y nos ceden el asiento del conductor. En lo sucesivo, pueden ayudarnos a circular o alertarnos de los peligros de la carretera o del límite de velocidad, pero confiarán en nuestra conducción, mientras nuestros antiguos exiliados juegan en los asientos de atrás.

Cuando no ocupamos el asiento del conductor (y a veces incluso nos echan del coche), nuestras partes se desenfrenan. Tienen acceso a nuestro cuerpo para sus propósitos, y las emociones extremas que llevan consigo tendrán consecuencias en él. Por ejemplo, el miedo de nuestros directivos nos tensará crónicamente los músculos, sobre todo en la espalda, los hombros, la frente y la mandíbula. Se dejan la piel controlando nuestro aspecto, conducta, palabras y sentimientos, al igual que se dejan la piel para mantener contenidos a exiliados y bomberos.

Varios supervivientes de maltratos con quienes he trabajado tienen directivos que odian sus cuerpos. Los culpan de tener necesidades y hacerlos ser vulnerables, por hacer de ellos un objetivo atractivo. Dicen: «Esas necesidades te han hecho daño, o sea, que voy a insensibilizarte para que ya no tengas esas necesidades».

NO HAY PARTES MALAS

Algunos tratan de restarles atractivo sexual o hacerlos pasar desapercibidos, para que se vuelvan invisibles para los depredadores.
O pueden alentaros a pasar hambre para controlar su apetito y
minimizar sus necesidades.

Es lógico, en cierto sentido, que los directivos pretendan controlar a los bomberos, porque muchos de ellos —como mi parte ena-
morada del fútbol que ansiaba seguir lanzándose contra la gente—
son adictos a la adrenalina. Escogen actividades que liberan
hormonas que nos hacen sentir energía, poder, o incluso miedo,
según cómo intenten distraernos o protegernos. Otros bomberos,
en cambio, adoptan una estrategia distinta: son más perezosos. Pres-
cinden del esfuerzo y nos hacen consumir drogas y alimentos que
tienen consecuencias similares.

A menos que nuestras partes nos apoyen plenamente, acabarán saboteando nuestras soluciones saludables.

En el ejercicio del simulacro de incendio, mi-
rabas por la ventana a una persona que te provocaba. Te hice sentir en el interior de su cuerpo
cuándo un protector tomaba el control y notar
las consecuencias que tenía en tu cuerpo. También es importante tener presente que las partes
siguen influyendo en el cuerpo cuando tu estado
no está activado, porque permanecen ancladas en lugares del pasado que nos hacen saltar. Muchos bomberos conservan la capacidad de tomar las riendas tan bien porque nos fiamos de ellos en
el pasado, nos hemos acostumbrado a dejarlos hacerse con el control
y han pasado a asociarse con las poderosas hormonas que nos hicieron falta durante el episodio desencadenante. Nuestro bombero
sexual, por ejemplo, siempre puede inundarnos el sistema de tes-
tosterona y no dejarnos pensar en nada que no sea sexo. Incluso
cuando nuestros exiliados están tan encerrados que no tenemos
experiencia consciente de ellos, el dolor, la vergüenza, el espanto y
la desesperación que llevan consigo perduran en nuestro cuerpo
—al igual que las hormonas del estrés, como el cortisol, con las que
están en consonancia—, así que sigue existiendo la necesidad del
bombero. Es probable que pensemos que, sencillamente, somos una

persona muy sexual, sin darnos cuenta de lo mucho que esa parte se está esforzando por protegernos.

Asimismo, he descubierto que, por varias razones, las partes apuntan deliberadamente a distintos órganos o aparatos vitales del cuerpo cuando no pueden comunicarse con nosotros directamente. Si nos negamos a escuchar a una parte, esta tiene un número limitado de opciones de llamar nuestra atención o de castigarnos si está furiosa con nosotros. Puede provocarnos pesadillas, *flashbacks*, ataques de pánico o fastidiarnos el organismo de formas aún peores.

Todos tenemos defectos o predisposiciones genéticas y nuestras partes a menudo están enteradas de ello. Al igual que en la magnífica película *Del revés*, es como si las partes tuvieran ante sí un panel de control y pudieran pulsar nuestros botones físicos a voluntad. Yo tengo predisposición a sufrir migrañas y asma. Si me encuentro en una estancia donde hay mucho polvo, tendré un pequeño ataque de asma, y eso no tiene nada que ver con mis partes. No obstante, si por alguna razón una parte lo desea, puede pulsar el botón de ataque de asma y dejarme fatal. Ya no pasa a menudo, por suerte, en parte porque he trabajado mucho el tema. Del mismo modo, opino que nuestras partes como mínimo exacerban o inician muchos síntomas médicos cuando no pueden comunicarse directamente con nosotros: cuanto menos escuchamos, más graves son los síntomas.

Participé en un estudio sobre la artritis publicado en *Journal of Rheumatology*. Sometimos a unos treinta y seis pacientes de AR (artritis reumatoide) a seis meses de IFS y los comparamos con otro grupo de cuarenta que asistió a clases sobre la AR. Pedimos al grupo de IFS que se concentrara en el dolor, que se interesara por él y le hiciera el tipo de preguntas que normalmente hacemos a las partes. Las participantes eran principalmente católicas irlandesas que nunca habían hecho terapia y tenían partes cuidadoras activas que no les permitían cuidarse. Al escucharlas hablar del dolor en las articulaciones, las partes que utilizaban ese dolor empezaron a contestar a sus preguntas con respuestas como «Nunca te cuidas» y «Vamos a dejarte baldada para que ya no puedas seguir haciéndolo» y «Seguiremos haciéndolo hasta que nos escuches». Cando el grupo de IFS empezó a escuchar a esas partes y negoció con las partes cuidadoras para compartir el tiempo, sus síntomas empezaron a mejorar. Observamos un cambio muy significativo en la manifestación física de la artritis, medida por terceros del gremio de la medicina. Algunas personas del grupo experimentaron una remisión completa.[1]

Cuando nos negamos a escuchar, podemos convertir nuestras partes en terroristas internos.

Dicho de otro modo, cuando nos negamos a escuchar, podemos convertir a nuestras partes en terroristas internos que, si es preciso, nos destruirán el cuerpo. Por desgracia, nuestro sistema médico —casi igual que un sistema político represivo—demasiado a menudo está diseñado para matar al mensajero en lugar de ayudarnos a comprender el mensaje.

Sesión cinco: TJ

Quisiera mostrar la siguiente sesión transcrita para ilustrar el uso que hacen las partes de nuestro cuerpo cuando no las escuchamos. TJ es una médica de cuarenta y tantos que quería estudiar si había algo de psicológico en su dolor de espalda crónico posterior a un accidente de tráfico diecisiete años atrás.

TJ: Llevo como diecisiete años sufriendo lumbago y me ha debilitado. Lo he enfrentado y he hecho ejercicio antes, pero me puse fatal cuando estaba embarazada de mi segundo hijo.

---

1. Shadick, Nancy, *et al.*, A Randomized Controlled Trial of an Internal Family Systems-Based Psychotherapeutic Intervention on Outcomes in Rheumatoid Arthritis: A Proof-of-Concept Study, *Journal of Rheumatology 40*, n.º 11 (noviembre de 2013): 1831-41, doi.org/10.3899/jrheum.121465.

En cuanto me muevo, ya está ahí. Dicen los médicos que es artritis o algo. Todo lo que he disfrutado haciendo en mi vida, como los triatlones, ahora me está vetado. Es como si el cuerpo me traicionara. Además, he engordado trece kilos y me da mucha vergüenza.

DICK: Eso es mucho. ¿Hay algún punto por dónde quisieras empezar?

TJ: No sé cómo lidiar con el dolor. No sé si el dolor trata de decirme algo.

D: Podemos comprobarlo si quieres. Vamos a hacerlo con la mentalidad totalmente abierta... Puede que no sea más que un problema de columna. Lo comprobaremos y ya está. Concéntrate en el dolor en sí... Doy por hecho que es en la espalda. Al notarlo, ¿qué sientes por él?

TJ: No me gusta. Me saca de quicio.

D: Comprendo por qué las partes están furiosas con él, pero voy a preguntarles si podemos tener oportunidad de conocer el dolor de otro modo y si hay algo que ese dolor quiera que sepamos. Así que comprueba si las partes que están furiosas nos hacen sitio unos minutos. [*TJ lo comprueba*] ¿Qué sientes ahora por el dolor?

TJ: Sigo enfadada con él.

D: ¿Qué necesita la parte enfadada para darnos algo de espacio? ¿Quizás una voz por un rato?

TJ: Hay un miedo que sobreviene que no quiere mirar la ira.

D: Pregunta al miedo qué teme que pasará si tú trabajas con la ira.

TJ: Puede desenterrar algún otro trauma horrible.

D: ¿Qué pasaría si desenterraras algo horrible?

TJ: Cree que no seré capaz de enfrentarlo o que él tomará el control.

D: Pregunta a ese miedo qué edad cree que tienes.

TJ: Me he vuelto jovencísima.

D: Hazle saber que en realidad no eres tan joven, a ver cómo reacciona.

TJ: Se ha sorprendido.

D: Encuentra el modo de convencerlo de que en realidad no eres joven.

TJ: Ya está arreglado. Nos dejará dirigirnos a la parte enfadada.

D: ¿Qué tal te siente ahora con respecto a esa parte?

TJ: Bien.

D: Comprueba qué quiere que sepamos.

TJ: Ahora hay un crítico. «Eres una vaga, no pegas ni golpe».

D: Pues hay que lidiar con el crítico. ¿Qué te hace sentir?

TJ: Es muy grande. Es malísimo.

D: ¿Podrían todas las partes a las que el crítico hiere cedernos algo de espacio? ¿Quieres que hable directamente con él? [*Asiente*] Bien, ¿estás ahí? [*Asiente*] Así que eres bastante duro con TJ, ¿correcto? ¿Qué le haces?

TJ: Es una vaga, no pega ni golpe y tiene que mover el culo. Está gorda, es fea y da asco.

D: ¿Qué temes que le pasaría si no le dijeras eso constantemente?

TJ: Que pesaría ciento cuarenta kilos, no tendría trabajo y no serviría para nada.

D: Estás tratando de mantenerla en forma y trabajando.

TJ: Sé que tiene el potencial de recobrar un peso que la haga sentir mejor y sana.

D: Entonces, ¿tu objetivo principal es el peso?

TJ: No. Que esté sana. Quiero que haga cualquier actividad con moderación.

D: Comprendo. Naturalmente, te frustra su problema de espalda.

TJ: Es horroroso. Yo la motivo y ella entonces se escaquea porque tiene dolor.

D: Bien. Comprendo tu dilema. ¿De qué forma te ayuda humillarla?

TJ: De ninguna. La humillación la hace comer peor, etcétera.

D: ¿Estás listo para probar otra cosa?

TJ: Sí.

D: ¿Nos das permiso para volver a la parte enfadada?

TJ: Sí. [*Pausa*] Ahora no encuentro enfado porque no está permitido. El crítico dice que el enfado es una emoción inútil que no ayuda.

D: ¿Nos daría una oportunidad de ayudarla? No es sólo un manojo de furia, es una parte que desempeña un rol. Dile a tu enfado que volver no entraña riesgos. Dile que sientes curiosidad por él y comprueba qué quiere que sepas.

TJ: Aparece un bloqueador que lo aniquila todo.

D: Pregúntale qué tiene miedo de que ocurra si nos quedamos con el enfado.

TJ: Que la cosa se pondrá fea. Que tomará el control.

D: Dile que eso no va a ocurrir.

TJ: El enfado está en una jaula, ¿lo dejo salir?

D: Sí, déjalo salir, a ver qué quiere que sepas.

TJ: Vuelve el vacío.

D: Pregúntale por qué ha vuelto.

TJ: Quiere describir cómo es la ira. Es un gran monstruo aterrador.

D: ¿A qué distancia en centímetros estás de la ira?

TJ: A unos sesenta.

D: Diles a tus partes que ninguna parte tiene ningún poder si tú no la temes. Diles a tus partes asustadas que vayan a una sala de espera segura. [*Lo hace*] ¿Qué te inspira ahora el monstruo?

TJ: Interés.

D: Bien. Díselo. [*Pausa larga*] ¿Cómo reacciona? ¿Qué dice?

TJ: Me llegan el accidente de coche y el miedo correspondiente.

D: ¿Te parece bien estar en compañía de ello?

TJ: Sí.

D: Dile que deseas con todo tu corazón comprender lo que supuso para él.

TJ: Estaba embarazada, y mi hija de dos años iba detrás. Y me detuve en un semáforo en rojo. Hay una parte moralizante que dice que no debería compartir esto, sino dejarlo atrás.

D: Déjala en la sala de espera. Muéstrate algo firme con esas partes.

TJ: Iba hablando por teléfono, porque entonces aún estaba permitido, y me detuve en el semáforo. Y apareció de la nada ese coche que se estrelló contra la parte trasera del nuestro a noventa kilómetros por hora. Al pegarnos tan fuerte, salimos disparadas, dimos una voltereta y acabé al lado de la chica que nos dio. Yo directamente actué como una médica. Saqué a mi hija del coche y me la llevé, gritando a los directivos, sin darme cuenta de que la cabeza me sangraba. Tenía miedo de dar a luz antes de tiempo. Me dieron fármacos que me hacían perder la cabeza para detener el parto. Aquello me asustaba y yo me sentía sola, y no creo que nunca acabara realmente de procesarlo.

D: Mira a ver si esa parte enfadada necesita que comprendas algo más de ella.

TJ: Nunca me enfadé con la conductora que nos dio. Yo nunca me enfadaba. Todo giraba en torno al dolor y la preocupación por mi hija. Salí herida en varios sentidos. Hay algo en la parte furiosa y siento que debo llegar ahí.

D: Haz saber al enfado que ahora estás lista.

TJ: Ahora lo tengo en el estómago. Está enfadadísimo [*TJ empieza a temblar*].

D: No pasa nada. Sólo quédate con él.

TJ: Hay una parte que dice que no está bien enfadarse, pero estoy cabreadísima con ella. Me dejó hecha polvo mucho tiempo, y aun así...

D: Sí. Tiene todo el derecho a estar enfadada por aquello. Díselo. Es muy bienvenido, puede ser tan grande como quiera.

TJ: ¿Puedo levantarme?

D: Sí. Levántate.

TJ: Qué vergüenza. Bueno... [*grita con todas sus fuerzas*].

D: Estupendo, de veras. Es de veras estupendo que esa parte pueda estar aquí ahora. ¿Qué sientes por ella ahora?

TJ: Ha estado atascada. Muy muy atascada.

D: ¿Qué tal está ahora?

TJ: Muchísimo más ligera.

D: Bien. Pregúntale sólo si tenemos que sacarla de ahí, si sigue ahí atascada. [*Asiente*] Bien, pues quiero que vuelvas a esa escena y acompañes a esa parte furiosa y a otras partes que sigan ahí, en el modo en que lo necesiten.

TJ: Sólo necesitaban que se las escuchara. Quiere que utilice mi voz.

D: ¿Y tú qué dices al respecto?

TJ: Está bien.

D: Puede que tengas que trabajar con las otras partes que no quieren que utilices tu voz. ¿Está la parte lista para abandonar ese momento y ese lugar?

TJ: Sí.

D: Puedes comprobar si hay alguna otra parte ahí atascada que quiera venir.

TJ: La del miedo, la del dolor y la furia y la parte complaciente. Todas quieren irse.

D: Llévatelas a todas a un lugar seguro y cómodo. [*Después de una pausa*] ¿Dónde las tienes?

TJ: En una cabaña en las montañas.

D: ¿Están contentas?

TJ: Lo están.

D: Bien. Diles que nunca más tienen que volver a aquel lugar y que tú las cuidarás. Comprueba si están listas para liberar los sentimientos de ese momento.

TJ: No me creen cuando les digo que cuidaré de ellas.

D: ¿Tienen motivos para no creerte?

TJ: Sí.

D: Diles que ése es otro proyecto, que seguirás trabajando con las partes que temen que tengas voz. Comprueba si están listas para descargar los sentimientos y creencias que adquirieron en aquel entonces.

TJ: Bueno.

D: ¿A qué elemento se lo quieren ofrecer? ¿A la luz, el agua, el fuego, el viento o a alguna otra cosa?

TJ: A la nieve.

D: Diles que lo extraigan de sus cuerpos y lo dejen adentrarse en la nieve. Que lo saquen sin más.

TJ: De acuerdo.

D: ¿Qué tal están?

TJ: Quieren estar de fiesta.

D: Diles que abran las puertas de su cuerpo a las cualidades que necesitarán en el futuro.

TJ: Valentía, conexión, libertad, voz.

D: ¿Qué tal les va ahora? Vamos a invitar a aquel crítico y al resto de protectores que ha habido por el camino, a ver cómo reaccionan.

TJ: Hay regocijo. La creatividad también quiere volver.

D: Bien. Vuelve a traer también la creatividad. Antes de dejarlo, podemos volver al dolor de espalda, sólo para ver qué tal está ahora.

TJ: Ahora mismo no hay dolor de espalda.

D: Pregunta a todos si tenían algo que ver con el dolor de espalda.

TJ: Sí, necesitaban que los escuchara. Ha pasado mucho tiempo.

D: Diles que, si alguna vez vuelven a necesitar llamar tu atención, los escucharás. ¿Te parece que hemos acabado por ahora?

TJ: Sí, pero el enfado dice que haga el puto favor de no minimizarlo más.

D: ¿Qué tal sienta oír eso?

TJ: No es muy agradable, pero parece correcto.

D: Quizá puedas disculparte por minimizar las cosas y comprometerte a seguir trabajando con las partes que hacen eso. ¿Qué tal te siente ahora?

TJ: Más ligera. Maravillada. Gracias.

Volví a ver a TJ al cabo de un año, cuando vino a otro retiro que yo dirigía. Dijo que no había tenido dolor de espalda desde nuestra sesión. Es importante apuntar que TJ cumplió su compromiso con sus partes, al seguir trabajando con ellas por su cuenta. Si no lo hubiese hecho, el dolor probablemente habría vuelto.

EJERCICIO: MEDITACIÓN CORPORAL

Éste es el último ejercicio que quiero proponer, y está relacionado con las ideas sobre tu cuerpo. Según leías, probablemente has estado pensando en tu relación con tu cuerpo, tal vez en síntomas que hayas tenido. Así que, una vez más, no quiero dar por hecho que cualquiera de tus síntomas o tensiones sean necesariamente producto de las partes. Tampoco quiero provocar ninguna humillación sugiriendo que todo esto te lo estés haciendo a ti mismo. Ése no es para nada el mensaje. No eres tú quien quiere tener un síntoma, es sólo una pequeña parte. Es frecuente que esa parte no tenga la menor idea del daño general que está causando a tu cuerpo o a tu familia y, cuando por fin escuches a esa parte, ella dejará de hacerte eso.

Ahora voy a proponerte que te concentres en tu cuerpo y, si tienes algún problema de salud, no temas concentrarte en la manifestación de ese problema. De lo contrario, limítate a buscarse un lugar en el cuerpo que no acabes de sentir tuyo: cualquier punto de tensión, presión, congestión, dolor o fatiga. Estamos buscando un hilo del que tirar, un punto en el que concentrarnos para iniciar esta exploración. Te doy un momento para dar con uno.

Cuando hayas encontrado uno, fija tu atención él y observa lo que te hace sentir. Puedes sentirte frustrado o vencido por él, o desear sacártelo de encima, todo lo cual es comprensible. Sin embargo, para nuestros propósitos, vamos a pedir a esas partes que nos hagan un poco de sitio para que puedas conocerlo. Y si es posible pasar a la curiosidad, preguntar lo que quiere que tú sepas.

Y una vez más, aguarda una respuesta. Todas tus partes pensantes que quieren especular pueden relajarse y, si no llega ninguna respuesta, no pasa nada. Podría ser sólo un problema físico sin ninguna relación con ninguna de tus partes. Ahora bien, si obtienes una respuesta, quédate con la sensación, como si fuera parte de ti, y pregúntale los tipos de preguntas que hacemos a las partes. Por ejemplo, «¿Qué temes que pasaría si no le hicieras eso a mi cuerpo?». Si responde a esa pregunta, habrás aprendido cómo trata de protegerte de algún modo, y puedes expresarle tu agradecimiento. Ahora bien, puede ser que no sea un protector y que sólo trate de hacerte llegar un mensaje. Así que otra pregunta útil en este momento es «¿Por qué crees que tienes que usar mi cuerpo?». Es decir, ¿por qué no le parece que puede hablar contigo directamente? Y una última pregunta podría ser algo del estilo «¿Qué necesitas de mí para no tener que hacerle esto a mi cuerpo?».

Una vez más, cuando te parezca oportuno, puedes agradecer a la parte lo que te haya contado (si te ha contado algo) y empezar a devolver la atención al exterior, haciendo respiraciones profundas si eso te ayuda.

Éste es un modo de practicar una nueva relación con tu cuerpo. Siempre que aparezca una sensación o un síntoma, préstale atención. ¿Qué mensaje trata de enviarte?

Reflexiones finales

Nuestro mundo interno es real. Las partes no son producto de la imaginación ni símbolos de nuestra psique; tampoco son simplemente metáforas de significado más profundo. Son seres internos que existen en las familias o sociedades internas, y lo que sucede en esas esferas internas influye en gran medida en cómo sentimos y vivimos la vida.

Si no nos las tomamos en serio, lo pasaremos mal haciendo aquello que hemos venido a hacer aquí. Tal vez podamos descargar nuestras partes hasta cierto punto, pero nos ayudará enormemente adentrarnos en nuestro mundo interno con plena convicción y tratar a nuestras partes como los seres reales y sagrados que son.

Si no nos tomamos en serio a nuestras partes, no nos convertiremos en un líder, padre o madre interno eficaz. Hay varias formas de psicoterapia que pueden ayudarnos a conectar con las emociones profundamente arraigadas de nuestros exiliados, y eso puede ser sanador en cierta medida. Sin embargo, si pensamos en ese proceso a través del prisma de la expresión de una emoción reprimida, no continuaremos, y continuar es crucial.

En cambio, si comprendemos que tenemos exiliados que de veras necesitan confiar en nosotros, es más probable que los visitemos tanto tiempo como sea preciso. Trabajar con ellos así suele ser lo necesario para llegar a descargar de modo permanente, y es lo que se requiere para aprender las lecciones, lecciones como que *todo merece amor*.

Cuando somos capaces de amar a todas nuestras partes, somos capaces de amar a todas las personas. Cuando nuestras partes se sienten amadas, nos permiten liderar nuestra vida desde el Self, nos sentimos conectados a la Tierra y queremos salvarla de las partes explotadoras de otros. Extenderemos el campo del Self en el planeta, y eso contribuirá a sanarlo. También nos sentiremos conectados al campo mayor del SELF.

Cuesta pensar que las partes son reales cuando la visión monomental de la gente impregna la mayoría del pensamiento y la comunicación del mundo. No dejamos de preguntarnos unos a otros «¿Qué quieres *tú*?» como si hubiera un sólo tú. Nos preguntamos lo mismo a nosotros. Y entonces respondemos «*Yo* quiero salir esta noche». Aunque a veces podemos decir cosas como «Una parte de mí quiere salir y otra parte quiere quedarse en casa», no es lo habitual, e incluso cuando la gente se expresa así, la mayoría no se refiere a una subpersonalidad literal. Por desgracia, tener muchas personalidades aún está muy estigmatizado y patologizado.

> Cuando somos capaces de amar a todas nuestras partes, somos capaces de amar a todas las personas.

Anteriormente he comentado que el Self era contagioso. Cuando estamos encarnados y en compañía de otra persona, ésta no sólo empieza a percibir la presencia de nuestro Self, sino que su Self también pasa a un primer plano y empieza a vibrar. Nuestros protectores y los de la otra persona notarán el nivel reconfortante de Self que hay en la estancia y se relajarán, con lo que liberarán aún más energía del Self encarnada.

Lo veo continuamente cuando trabajo con parejas, familias, empresas u otras organizaciones. El mero hecho de mantener a las personas en un estado encarnado mientras negocian supone una gran diferencia. A menudo pido que cada persona me permita ser el detector de partes e interrumpo la acción cuando sus partes se ofuscan, y entonces indico a todo el mundo —yo incluido— que viaje a su interior, escuche a sus partes y entonces vuelva y hablar desde un lugar acogedor del Self en su nombre.

También creo que los países tienen partes y un Self, que podemos aplicar un proceso similar con los dirigentes de esos países. En la actualidad, los consultores están recurriendo a la IFS para hacer precisamente eso. Desde luego que las partes protectoras también son contagiosas. Las polarizaciones más notables son fruto de los protectores y sus cargas —sus creencias y emociones extremas— y van a más con los protectores en otras personas. Es algo que vemos con demasiada frecuencia desplegarse internacionalmente.

Aquí encaja uno de mis dichos favoritos: cuando los toros se embisten en el prado, son las ranas las que sufren. Cuando mi protector se dirija a ti, herirá a tu exiliado (la rana). Y cuando tu protector vuelva a mí, herirá a mi exiliado, y así sucesivamente. Ninguno de nuestros protectores nos deja admitir que nos están haciendo daño: ninguno de nosotros habla por esas ranas. En su lugar, dejamos que nuestro toro siga pisoteándonos a los dos.

Cuando los toros se embisten en el prado, son las ranas las que sufren.

La solución a esas escaladas es que el Self de ambas partes retire al toro, para consolar y querer a nuestras propias ranas, y luego tener el coraje de hacerles saber del daño a los dos. Una vez cada contendiente relata la experiencia de sus exiliados, el ambiente cambia visiblemente, y eso posibilita reparaciones compasivas y soluciones que satisfagan a todos.

Hay partes de nosotros que tratarán de convencernos de no hacerlo. Nos dirán que es de débiles y que es exponerse demasiado mostrar a los demás nuestras verdaderas necesidades. Lo cierto es que la fuerza genuina sólo puede llegar cuando nos comunicamos desde el Self. Al hacerlo, los demás notarán el poder en nuestra vulnerabilidad.

Creo que, al cuidar de nuestras partes de esta forma tan enriquecedora, encarnando Self y comunicándonos de un modo liderado por el Self, no sólo estamos generando más armonía en el interior y entre nosotros y los demás, sino también aportando más energía del Self al planeta. Y una vez que haya una masa crítica de energía del Self en cualquier sistema, la sanación se produce espontáneamente y enseguida.

Eso es lo que necesitamos. Al parecer, vivimos en una época crucial de la historia de nuestra especie, y la necesidad de una masa crítica de Self nunca ha sido mayor. Antes creía que el Self no tiene planes ocultos, pero ya no lo veo así. Tal vez *plan oculto* no es la mejor palabra para designarlo, pero, según mi experiencia, el Self sí tiene un propósito o un deseo de propiciar la conexión, la armonía y el equilibrio, de corregir la injusticia. Sin embargo, a diferencia de nuestras partes, el Self no está vinculado a que ocurra eso de ningún modo particular, o al menos no inmediatamente. El Self tiene una perspectiva más de ángulo amplio, de largo plazo. Creo que nuestro Self individual es parte de un campo mayor de SELF que puede armonizar las interacciones humanas. Siempre que actuamos desde el Self o ayudamos a liberarlo en otras personas, estamos contribuyendo al crecimiento de ese campo y su capacidad de influir en el mundo. Eso dota de más significado no sólo a lo que los terapeutas de IFS hacen en sus consultas, sino también a nuestros pequeños actos de integridad o compasión que pasan desapercibidos, incluyendo amar a nuestros propios niños interiores y exteriores.

> Una vez haya una masa crítica de energía del Self en cualquier sistema, la sanación se produce espontáneamente y enseguida.

Esta óptica del campo nos ayuda a entender que el Self y las partes cargadas sean contagiosas, porque también son todos aspectos de campos. Y si consideramos la Tierra un organismo vivo y sintiente, es como si el Self se hubiera visto cada vez más eclipsado por los campos creados por los modos inhumanos en los que hemos tratado el planeta y nos hemos tratado entre nosotros. Cuando vemos a líderes nacionalistas de derechas emerger en distintos países del planeta, que utilizan las mismas tácticas manipuladoras y despreciables, es como a si esos países los envolviera el mismo campo oscuro.

Y por eso descargarnos a nosotros y mutuamente cobra mayor importancia. Al hacerlo, restamos poder a ese campo eclipsante y fortalecemos el campo de Self de la Tierra. Para ello hay que trabajar juntos. Hay que formar colectivos de ayuda para que se produzcan estos cambios, sobre todo cuando se consideran contraculturales, porque mantenerlos nosotros solos es difícil. Necesitamos estar con gente que nos diga que no estamos locos, aunque el resto del mundo pueda discrepar. Yo no hubiese persistido en la creación de la IFS si no llega a ser por el pequeño grupo de colegas que experimentaban junto conmigo y se validaban mutuamente. Si te he despertado la curiosidad y quieres saber más, el IFS Institute patrocina muchos grupos de Facebook o listas de distribución de correo electrónico, así como un programa del Círculo en línea.

Hay maneras de ayudar a grupos numerosos a revelar y soltar cargas por legado culturales.

Resumiendo, propongo lo siguiente:

1. Liderar nuestras vidas desde el Self tanto como sea posible y hallar modos de ayudar a cada vez más personas a hacer lo mismo.
2. Sanarnos (descargarnos) a nosotros y mutuamente.

Asimismo, estoy convencido de que hay maneras de ayudar a grupos numerosos a revelar y soltar cargas por legado culturales como el racismo, el individualismo, el consumismo, el materialismo y el sexismo. Dicho esto, en esta labor más amplia, creo que es un error minimizar la importancia de soltar nuestras cargas individuales. Hasta que nuestras partes se sientan apegadas sin riesgos a nosotros, a la Tierra y al SELF, tendremos protectores que ansían poder, adoración, cosas materiales y estatus, todo aquello que nos mantiene separados unos de otros e inconscientes de las consecuencias de maltratar a la Tierra.

Ninguno de estos cambios es posible si nos atenemos al paradigma actual de la mente y la naturaleza humanas. No basta sólo con atajar problemas concretos —iniciativas de energías renovables, por ejemplo—, porque mientras sigamos considerando que los seres humanos son egoístas e independientes y están desconectados, seguiremos relacionándonos con nuestras partes de modos que las radicalicen cada vez más, y el cúmulo de problemas a los que ahora nos enfrentamos encontrará otros modos de manifestarse. Por otro lado, desafíos como la pandemia del coronavirus y el advenimiento de crisis ecológicas pueden derrumbar nuestra negación y sensación de superioridad cultural lo suficiente para hacer hueco a un nuevo paradigma.

Cuando estamos en el Self, recordamos nuestras conexiones con nuestras partes, con otras personas y con la Tierra. Vemos al prójimo como seres sagrados y nos relacionamos con amor y respeto. También recordamos nuestra conexión con el SELF y podemos recibir la sabia orientación de ese nivel de consciencia. Al estar liderados por el Self, encontramos nuestro proyecto de un modo natural y tomamos iniciativas al respecto; y al hacerlo, las cosas ya no parecen tan importantes como una vez lo parecieron. Nos relajamos y bajamos el ritmo. Y ampliamos el campo del Self sobre el planeta y nos esforzamos por reducir los campos de cargas que lo sepultan.

Ha sido maravilloso compartir este fantástico viaje contigo. Escribir este libro me ha animado a estudiar, aclarar y consolidar más mis creencias sobre la vertiente espiritual de la IFS, lo cual agradezco. Durante el camino, he encontrado y trabajado con varias de mis partes: la que emplea la voz de mi padre para hostigarme por la falta de rigor científico de todo esto, la preocupada por que sea demasiado ostentoso con todas estas grandes afirmaciones sobre el mundo y cómo podría ser, y la que aún duda de la realidad del mundo interior, pese a las décadas de evidencia.

Al descargar cada una de estas partes, puedo sentir verdadera gratitud por esta oportunidad y por que tengas suficiente interés en estas ideas para tomar este libro y leer hasta aquí. Ojalá te parezca útil de algún modo, ¡y que el Self te acompañe!

Agradecimientos

Hay una inmensa cantidad de personas a las que agradecer su contribución al desarrollo del modelo de la IFS, demasiadas para el espacio del que dispongo. No obstante, en el caso de este libro en concreto, puedo identificar varias figuras clave. Los primeros días, me dirigieron —a veces contra mi voluntad— en pos de explicaciones espirituales de los fenómenos que encontrábamos en los clientes. Es el caso de varios compañeros exploradores: Michi Rose, Tom Holmes, Susan McConnell, Kay Gardner, Paul Ginter, Toni Herbine Blank y el desaparecido Ron Kurtz, el artífice de la terapia Hakomi. Más tarde disfruté comparando notas y dejándome guiar por una mística sufí, Cindy Libman, y durante la última década mientras intercambiaba sesiones decisivas con Carey Giles. También quisiera reconocer que muchos de nuestros formadores actuales tienen una orientación espiritual y han compartido conmigo el desarrollo de muchas de estas ideas.

También he disfrutado de las colaboraciones con Loch Kelly, el Lama John Makransky, la Lama Willa Miller y Ed Yeats de la tradición budista tibetana; y con las cristianas Mary Steege, Jenna Riemersma y Molly LaCroix. Bob Falconer se encargó de gran parte de la investigación para nuestro libro *Many Minds, One Self*, que también intensificó mi valoración de la ubicuidad del Self en distintas tradiciones espirituales. Asimismo, quiero expresar mi gratitud a Bob Grant por ejercer de guía en los viajes con ketamina que me aportaron mayor convicción en los aspectos espirituales de esta labor.

Mi aprecio temprano por el pensamiento sistémico se vio afianzado durante mi época como alumno del desaparecido Doug Sprenkle, así como mediante colaboraciones con Doug Breunlin y Howard Liddle. Aunque nunca estudié con él directamente, el desaparecido Salvador Minuchin fue una gran influencia en la IFS. Aprendí del fallecido Reggie Goulding las consecuencias del trauma en los sistemas internos, y quiero dar las gracias a Bessel van der Kolk por el trabajo pionero que validó y consolidó esos hallazgos. Encontré un aval similar en la labor de Gabor Maté y las conversaciones con él sobre la adicción y los síntomas médicos.

Sounds True me cuida mucho. Me obsequiaron con el bendito regalo de un gran editor, Robert Lee. Ya al principio, entendió el proyecto y se entregó en cuerpo y alma a una gran reorganización que mejoró enormemente el libro. También agradezco la creatividad de Jennifer Yvette Brown, así como el interés y el apoyo de Tami Simon.

Por último, quiero dar las gracias a mi hermano Jon por dejarme libre para analizar todo esto, encargándose tan bien de dirigir el IFS Institute los últimos diez años, así como a mi esposa y coexploradora, que tiene una intuición increíble e hizo notables contribuciones a mis reflexiones sobre estos temas.

Sobre el autor

Richard C. Schwartz, PhD, inició su trayectoria como terapeuta familiar sistémico y académico. Basándose en el pensamiento sistémico, el doctor Schwartz desarrolló los sistemas de familia interna (IFS, por sus siglas en inglés) en respuesta a las descripciones que hacían los clientes de varias partes en su interior. Cuando se hallaba estudiando esa geografía interna con clientes traumatizados, descubrió una esencia intacta y sanadora que él denomina el Self, y eso le condujo al viaje espiritual descrito en este libro. Ponente de varias asociaciones profesionales, el doctor Schwartz ha publicado varios libros y más de cincuenta artículos sobre la IFS, que se ha convertido en un movimiento internacional. Para más información, visita ifs-institute.com.